DIWEDD Y BYD / YR HEN BLANT

gan

MEIC POVEY

DIWEDD Y BYD / YR HEN BLANT
gan
MEIC POVEY

Os am ganiatâd i berfformio'r dramâu hyn, cysyllter â:
Sgript Cymru, Chapter, Heol y Farchnad, Treganna, Caerdydd. CF5 1QE.
Ffôn: 029 2023 6650   Ffacs: 029 2023 6651
e bost: sgriptcymru@sgriptcymru.com

Comisiynwyd, a pherfformiwyd 'DIWEDD Y BYD' am y tro cyntaf gan gwmni BARA CAWS yn Neuadd Goffa, Chwilog ar Fawrth 28ain, 1993.

Comisiynwyd a pherfformiwyd "YR HEN BLANT" am y tro cyntaf gan SGRIPT CYMRU yn Neuadd Pontyberem ar Awst 8fed 2000.

Perfformiwyd y ddwy ddrama fel cydgynhyrchiad rhwng Sgript Cymru a Theatr Gwynedd yn ystod wythnos Eisteddfod Genedlaethol Llanelli a'r Cylch 2000, ac yna ar daith ledled Cymru.

MEIC POVEY

Brodor o Flaen Namor, Eryri yn wreiddiol. Dechreuodd ei yrfa broffesiynol fel llwyfanwr i Gwmni Theatr Cymru yn 1968, a bu'n actio ac ysgrifennu, yn dilyn ei drywydd ei hun, ers dros ddeng mlynedd ar hugain. Treuliodd dair blynedd yn y '70au fel golygydd sgriptiau o dan adain Gwenlyn Parry, dylanwad mawr arno, yn cydweithio ar y cyfresi cyntaf o Pobol y Cwm. Mae ei ddramâu ar gyfer teledu, ffilm a llwyfan yn cynnwys: Nos Sadwrn Bach; Aelwyd Gartrefol; Taff Acre; Meistres y Chwarae; Camau Troellog; Sul y Blodau; Deryn; Babylon By-passed; Y Filltir Sgwâr; Christmas Story; Nel; Yr Ynys; Terfyn; Y Cadfridog; Chwara Plant; Gwaed Oer; Diwedd y Byd; Yn Debyg Iawn i Ti a Fi; Y Weithred; Wyneb yn Wyneb; Fel Anifail; Yr Heliwr; Bonansa!; Tair; Talcen Caled.

DIWEDD Y BYD
gan
MEIC POVEY

Y cast gwreiddiol:

MAGS .... CATHERINE ARAN
RHI .... SIÂN JAMES
DEIO .... MALDWYN JOHN
EM .... MERFYN PIERCE JONES

Cyfarwyddwr .... MEIC POVEY

Cast a chriw 2000

CYMERIADAU:

MAGS .... GWENNO ELIS HODGKINS
RHI .... BETSAN LLWYD
DEIO .... MALDWYN JOHN
EM .... DAFYDD DAFIS

Cyfarwyddydd: .... Siân Summers
Cynllunydd: .... Sean Crowley
Cynllunydd Goleuo: .... Elanor Higgins
Cynllunydd Sain: .... Siôn Havard Gregory
Rheolwr Cynhyrchiad: .... Dylan Roberts
Rheolaeth Llwyfan: .... Neil Williams, Kêt Smith, Gwenda Parry
Gwisgoedd: .... Llinos Roberts

Theatr Gwynedd:

Cyfarwyddwr: .... Dafydd Thomas
Swyddog Gweinyddol: .... Ann Evans
Swyddog Marchnata: .... Fiona Otting

4

YR HEN BLANT
gan
MEIC POVEY

CYMERIADAU:

MAGS .... GWENNO ELIS HODGKINS
RHI .... BETSAN LLWYD
DEIO .... MALDWYN JOHN
EM .... DAFYDD DAFIS
MEL .... KATH DIMERY

Cyfarwyddydd: .... Bethan Jones
Cynllunydd: .... Sean Crowley
Cynllunydd Goleuo: .... Elanor Higgins
Cynllunydd Sain: .... Siôn Havard Gregory
Rheolwr Cynhyrchiad: .... Dylan Roberts
Rheolaeth Llwyfan: .... Neil Williams, Kêt Smith, Gwenda Parry
Gwisgoedd: .... Llinos Roberts

Sgript Cymru:

Cyfarwyddwr Artistig: .... Bethan Jones
Cyfarwyddwr Cysylltiol: .... Simon Harris
Cyfarwyddwr Gweinyddol: .... Mai Jones
Rheolwr Llenyddol: .... Bill Hopkinson

"DIWEDD Y BYD"

gan

MEIC POVEY

CYMERIADAU

DEIO

RHI

EM

MAGS

AMSER — HAF, 1962

TYWYLLWCH.

SYNAU'R WLAD: ANIFEILIAID, ADAR, CEUNANT NEU AFON YN RHEDEG – YN CODI YN RADDOL AC YN CYNYDDU NES BOD YN UCHEL IAWN. WEDI RHAI EILIADAU O SAIN DAW'R GOLAU I FYNY'N RADDOL.

GWELWN GARREG ENFAWR AR DDE Y LLWYFAN, AC AWYR TU ÔL IDDI.

CYRHAEDDA Y SAIN A'R GOLAU UCHAFBWYNT GYDA'I GILYDD, CYN I'R SAIN DDIFFODD YN DDISYMWTH.

DEIO: Ofyr hîyr, Jêc!

DAW DEIO I'R GOLWG O DU ÔL Y GARREG; DILYNIR EF GAN EM, MAGS A RHI. PLANT Y WLAD YDYNT. RHYNGDDYNT, MAENT YN CARIO GÊR AR GYFER GWERSYLLA: TENT, SACHAU, PLANCED, HEN SOSBAN, MYGIAU A.Y.Y.B. MAENT YN CLUDO AMRYWIOL ARFAU WEDI EU GWNEUD O BREN, YNGHYD AG ARFAU "GO IAWN": CYLLYLL FFAIR, GYNNAU TATWS A DWR. MAE DEIO AC EM YN GWISGO HETIAU COWBOI (FFAIR).

DEIO: Ocê, men! Howld ut!

MAGS: Fa'ma? Ydan ni ddim am ddringo'n uwch?

DEIO: Jêc!! *(SEF EM)* Go an sî ddy côs us clîyr.

MAGS: Pam na fedrwn ni fynd yn uwch?

DEIO: Cau dy – shiyt up!

9

MAGS: Sori! Âr wi go up heiar?

DEIO: No.

MAGS: Pam? Wei?!

DEIO: Bi-co-se ai sê, Rynin Rabut.

MAGS: *(SIOM)* O!
(WRTH RHI) Bi-co-se! Be' 'di hwnnw?

DEIO: Pwy 'di Sheriff, Mags, chdi ta fi?

EM: Ddy côs us clîyr, Wyl.

DEIO: Be'! O! Thangs, Depiwti.

EM: Wêr wi go ffrom hîyr?

DEIO: *(AIL SEFYDLU "AWDURDOD" WRTH RHI)*
Wat iw sê, Reisyn Sdâr?

MAGS: Ga'i roi y petha' 'ma lawr rwan?!

RHI: *(MEDDYLGAR)*
<u>Ydan</u> ni'n mynd yn uwch?

DEIO: Iesgob, Rhi! Wyt ti'n blincin chwara', ta wyt ti ddim?

RHI: Ydan ni, Em?

MAGS: *(EDRYCH ALLAN)*
Bch!
(SŴN CRAIG YN DISGYN) Mi fedra'i weld y graig; craig y chwaral, dacw hi yn fan'cw! Mi welon ni hi'n disgyn, 'ndo Em? Bch!!

EM: Bch!!

RHI: Ydan ni'n mynd yn uwch?

DEIO: Dwi'n gêm!

MAGS: Bch!!

RHI: Ydan ni?!!

DEIO: Dwi'n gêm medda fi!!

MAGS / EM: Bch!

MAGS: *(SEIBIO, CYN)*
Sbîa, Rhi. Tyrd yma i weld! Craig y chwaral, sbîa! Dim ond Em a fi gwelodd hi'n disgyn; mi oddat ti a Deio yn y'ch gwlâu hefo'r frech ieir! Bch!!

RHI: Pwy ddudodd?

MAGS: Mi oddach chi, yn smotia' byw!

RHI: Mi fyddi ditha' hefyd, pan ddali di'o.

MAGS: Pwy sy'n dweud mod i'n mynd i wneud?!

EM: Mi fedra'i weld y pwll di-waelod! Wrth droed y graig....

DEIO: Di-waelod wir! Hy! Mi 'dw' i wedi 'drochi ynddo fo filoedd o weithia'!

EM: A fi! Wyt ti?

RHI: Paid â dweud anwiradd.

DEIO: Mi rydw'i!

RHI: Dest ti ddim pellach na dy ben glin!

DEIO: Do, 'tad! 'Ddeifis i mewn, dros 'y mhen, nofio'r holl ffordd ar draws ac yn ôl!

RHI: Ma' plant sy'n dweud anwiradd yn cael slâs nes 'i bod nhw'n downsio.

DEIO: *(BYGYTHIOL)*
Mi gei ditha slâs 'munud os na cheui di hi!

RHI: Mae o'n ddi-waelod, Deio, a 'sneb wedi dŵad ohono fo'n fyw.

DEIO: *(YN FYGYTHIOL IAWN)*
'Ti'n 'y nghlywad i?! *(YNA TROI'R STORI)* Sbïwch! Bryn Hafod Owen! 'Dw'i wedi bod reit yn top yn hel defaid.

EM: A fi!

DEIO: Ers pryd ma' gyno chi ddefaid? Defaid ni ydyn nhw. Defaid dad.

EM: Hefo mam fuon ni, ynte Mags? I eistedd ar y copa, mi gafon afal ac orenj i rannu, ac mi welon gnebrwn Mair Polio yn mynd heibio i Lyn Dinas am Fwlch y Wrach. Yndo, Mags?

MAGS: Ew, do! A ... a mam yn crïo, ac yn dweud ma' hogan dda oedd hi.

RHI: 'Isio iddi sychu rhwng 'i choesa' oedd felly, 'nte.

MAGS: Be'?

RHI: Mair Polio ... dyna sut marwodd hi, dyna sut ma' dal polio. Os nad wyt ti'n sychu rhwng dy goesa' ar ôl cael bath, neu ar ôl bod yn 'rafon, mae o'n casglu o dipyn i beth ac yn dy ladd di.

MAGS: 'Sgyno ni ddim bath.

RHI: Twb! Ma' gyno chi dwb. A dyna ddigwyddodd i Mair Polio, anufudd oedd hi, cau gwrando ar 'i mham, a ran ma' 'di marw. Dyna sy'n bod ar Mr Nixon y posman, dyna pam mae o'n cerad yn ara deg, fedar o'm cerad yn gynt achos bod polio wedi cael gafael arno fo.

MAGS: Pwy ddudodd wrthat ti?

RHI: Ma' pawb yn gwbod.

MAGS: Wir?

RHI: Ma' pawb yn gwbod 'i fod o'n wir.

DEIO: Fyddi <u>di'n</u> gwneud, Mags? Fyddi di'n sychu rhwng dy goesa?

DEIO AC EM YN PIFFIAN CHWERTHIN

DEIO: Fyddi di, Mags?

EM: Ia, fyddi di?!

RHI: Os nad wyt ti, dydi'm ots.

MAGS: Mi rydw'i! Iesgob, Rhi! Mi rydw'i! Iesgob, be' gân ni chwara' wir. Be' am i ni osod y dent ne' rwbath.

DEIO: Gosod y ...! Fyddwn ni ddim yn mynd i gysgu am oria' eto!

EM: Wagyn Trên! Be' am i ni chwara' Wagyn Trên?

DEIO: 'Fi 'di John Wên ta!

MAGS: A fi 'di wraig o!

DEIO: Paid â bod yn wirion – 'sgin John Wên ddim gwraig sïŵr!

MAGS: Ma' gin pawb wraig, Deio!

EM: Dynas wahanol s'gyno fo bob tro.

DEIO: Hen gi!

DEIO AC EM YN PIFFIAN CHWERTHIN.

MAGS: A cheffyl!

RHI: Be'?

MAGS: J ... J ... John Wên. Dyna s'gyno fo. Hen gi a cheffyl.

DEIO AC EM YN CHWERTHIN.

MAGS: Be' sy' matar?!

DEIO: Dim!

EM: Dim!

CHWERTHIN ETO.

RHI: Be' sy', Em?

EM: Dim!

RHI: O! Wyt ti'n chwerthin am ben dim wedi mynd?

EM: Deio'n chwerthin hefyd!

RHI: Ond i'w ddisgwl. Meddwl bo gin ti fwy yn dy ben.

DEIO: Py! Ers pryd?

EM: *(TROI'R STORI YN FWRIADOL)*
           'Fi 'di John Wên!

DEIO: Cer i grafu, Em bach!

EM: Defi Crocet dwi'n feddwl!

MAGS: Ga'i i fod yn Cansas Cid?

DEIO: Na chei! Y chdi 'di ... 'di ... hâff brîd!

MAGS: Dwi'm 'isio bod yn Indian eto!

EM: Hannar a hannar, Mags! Tyrd yn dy flaen.

DEIO: O-cê, Dê-fi! Wi camp hîyr.

EM: Wyt ti'n chwara', Rhi?

YN YSTOD YR UCHOD, BU RHI YN EDRYCH ALLAN YN FEDDYLGAR.

RHI: Ydan ni'n mynd yn uwch? 'Dwi'n gêm.

EM: Ydan ni?

RHI: Fyny ffor'cw redodd dy fam, a Mags yn 'i breichia' pan ddoth dyn du i'r drws. Wyt ti'n cofio, Mags?

DEIO: *(LLED-SYNFYFYRIOL)*
Nid un du oedd o; Pacistanli oedd o, hefo llïan sychu llestri am 'i ben.

RHI: A chyllall! Yntê, Mags?

16

MAGS: Dwi'm yn cofio!

DEIO: Oddat ti ofn?

MAGS: Babi oddwn i!

DEIO: Babi mam! Be' ddigwyddodd?! Le'r aeth o?

RHI: Dal yn y mynyddoedd, dal i chwilio am Mags.

DEIO: Ai cym tw get iw!

MAGS: Paid!

EM: Babi oedd hi, Deio!

DEIO: Babi mam!

MAGS: Cuddio ddaru ni, nes gwelon ni dad ar y lôn Rhufeinig. Mi oedd o wedi bod yn hela, mi oedd gyno fo wn. Iêcs!

RHI: Fyny fan'cw, ar lethra' Moel Meirch gafodd y tri dringwr 'i lladd.

AM ENNYD, PAWB YN EDRYCH ALLAN YN FUD.

MAGS: 'Dwytha i ben y garrag sy'n drewi!

MAGS YN ACHUB Y BLAEN AR BAWB ARALL AC YN CYRRAEDD PEN Y GARREG.

MAGS: 'Fi 'di Cinoddycasyl! Mi 'dach chi gyd yn drewi!

DEIO: Be' ti'n feddwl wyt ti'n 'neud?

MAGS: Pam?!

DEIO: 'Sgin <u>ti</u> ddim hawl i fod yn Cinoddycasyl siŵr!

MAGS: Pam?!!

DEIO: Achos...!

MAGS: Ia?

DEIO: Achos ... doeddan ni ddim yn barod! Yn nag oeddan, Em?

EM: Nag oeddan!

DEIO: Tyrd yn dy flaen reit sydyn!

EM: Ia, tyrd yn dy flaen, Mags!

DEIO: Wyt ti'n 'y nghlywad i?!

DEIO YN CYCHWYN I FYNY'R GARREG.
RHYDD MAGS BWNIAD GO HEGAR IDDO A'I CHLEDDYF.

MAGS: 'Sa draw!

DEIO: Asu! Aw!

MAGS: *(GORCHFYGOL)*
Y fi 'di Dimitiys an y Gladietys!

EM: Tyrd yn dy flaen, Mags, bydd yn ffêr!

MAGS: San bac, slêf!

DEIO: Tyrd yn dy flaen, y fi 'di Sheriff!

MAGS: A fi sy'n ben y garrag! A ... a ... a ... a mi dwi'n gwisgo rôb Iesu
          Grist ... a ... a ... chi 'di Romans ... a ... a ... mae'n rhaid i chi chael
          hi oddi arna'i!

*YN DDIRYBUDD, RHI YN RHUTHRO'R GARREG, A CHLEDDYF YN EI
LLAW.*

RHI: *(SGRECH ANNAEAROL)*
            Dai! *(SEF "DIE")*

*RHI YN YMOSOD YN NEILLTUOL O FFYRNIG, FEL PE BAI WEDI EI
MEDDIANNU BRON. MAGS YN YMLADD YN ÔL, RÊL BOI I GYCHWYN,
OND YN GWYWO YN WYNEB Y FATH FFYRNIGRWYDD.*

MAGS: O-reit! O-reit!

*RHI YN CYRRAEDD TOP Y GARREG; MAGS YN TAFLU EI CHLEDDYF
A CHWRCYDU, A CHUDDIO EI PHEN A'I BREICHIAU.*

MAGS: O-reit, o-reit, dw'i 'di marw!

RHI YN EI PHWNIO YN FFIAIDD Â'I CHLEDDYF.

EM: Argol, Rhi! Ara deg!

DEIO: Go hed, Rhi, lladda'i!

RHI: Wyt ti'n rhoi y rôb i mi, i'w chadw am byth?

MAGS: Yndw, yndw!

RHI: Ac nid y chdi ydi Iesu Grist go iawn?

MAGS YN YSGWYD EI PHEN YN DDAGREUOL.

RHI: D'eud o!

EM: Rhi!

DEIO: Lladda'i, Rhi!

RHI: D'eud o!

MAGS: *(WEDI DRYSU)*
Be' 'ti 'isio 'mi ddeud?!

RHI: Nid y fi ydi Iesu Grist!

MAGS: Nid y fi ydi Iesu Grist!

ENNYD, GYDA RHI YN DAL Y CLEDDYF UWCHBEN MAGS YN FYGYTHIOL.

EM: Rho gora iddi, neu mi dduda'i adra!

RHY RHI NAID O BEN Y GARREG; WYNEBU EM A GOSOD MIN Y CLEDDYF YN ERBYN EI WDDF.

RHI: Wyt ti 'isio 'run peth?

DEIO: Saetha'i, Em! Ma' gin ti wn ... saetha'i!

RHI: Be' wyt <u>ti</u>, Iesu Grist ta Romans?

DEIO: Saetha'i, Em!

MAGS: *(WYLOFUS)*
           Gad lonydd iddo fo!

DEIO: B'istaw!

RHI: Iesu Grist ta Romans?!

EM: Dwi'n mynd i capal!

RHI: 'Oedd Mair Polio yn mynd i capal a ma' hi 'di marw.

EM: Romans ta!

RHI YN GOLLWNG Y CLEDDYF; CHWERTHIN

RHI: Be' sy'?! Be' sy' matar arnoch chi gyd?! Chwara' ydw'i siwr!
           Sbort! *(PAWB YN RHYTHU ARNI).* Chwara' oeddwn i Mags!

YSBAID

DEIO: Da – ra!

FFANFFÊR, CYN RHEDEG AT Y GARREG A DRINGO I'W CHOPA.

DEIO: Pwy 'di Cinoddycasal rŵan ta?!

EM: A fi! A fi!

DEIO: Paid â bod yn wyrion, dim ond un fedar fod yn Cin ar y tro!

EM: Pwy ga' i fod ta? Pwy 'dw'i? Ifan-Hô! Y fi 'di Ifan-Hô!

DEIO: Naci! Y fi 'di Ifan-Hô ... a chdi 'di ... chdi 'di....

EM: Cin!

DEIO: Naci! Y fi 'di Cin ... a chdi 'di ... y ... Naci! Y fi 'di Cin Ifan-Hô! A chdi 'di ... chdi 'di was o!

EM: Gan ni chwara' Wil a Jêc?

DEIO: Y fi 'di Wil! Y fi 'di Sheriff!

EM: A fi 'di Jêc.

DEIO: Ac mi wyt ti wedi galw i 'ngweld i, ar y ranch.

EM: Yn y bygi.

EM YN MEIMIO, GYDA'R SYNAU PRIODOL: CARNAU, GWERYRU, CYRRAEDD MEWN TRAP A CHEFFYL.

EM: Wô, Trigyr!

DEIO: Howdi, Jêc!

EM: Howdi, Wyl!

DEIO: O, o-reit. Cym past.

EM: Thangs.

EM YN DRINGO I GOPA'R GARREG. Y DDAU YN EISTEDD; SETLO.

DEIO: Ai sî ffor meils, Jêc. Ddy hôl ranch us mein. As ffâr iw sî ddêr.

EM: Mi tw, ddêr. *(I GYFEIRIAD ARALL)*

DEIO: E?

EM: Ddêr!

DEIO: 'Sgin ti ddim ranch sŵr!

EM: Oes, ma' gin i. Dacw hi, 'fan'cw.

DEIO: Ol, nag oes siŵr. Gin Wil mae'r ranch, gweithio iddo fo ma' Jêc.

EM: Pwy sy'n dweud?

DEIO: Pictiws!

EM: Pam na sgin Jêc dir ta?

DEIO: Achos ... achos ... 'sgyno fo ddim, Em!

EM: *(STYFNIGO)*
Oes ma' gyno fo. Dacw fo, 'fan'cw.

DEIO: Nag oes! Nid Jêc sy' pia hwnna, 'nhad i sy' pia fo.

EM: Nid Wil ydi dy dad ti.

DEIO: Nid Jêc ydi dy dad ti!

ENNYD DDRYSLYD.

DEIO: 'Nhad sy' pia fo, Em! Sbïa! O Fwlch y Gwyddal i gopa'r Geuallt,
ar draws i Lam y Trwsgwl, yn ôl tuag at Foel y Diniewyd, ac
heibio i Lynnau Cerrig y Myllt am filltiroedd! Heb sôn am be' sy'
pia fo yn Sir Fôn! 'Nhad sy' pia fo'i gyd, mêt, 'sdim tir ar ôl i neb
arall, hyd yn oed 'tasa gin dy dad ti bres i brynu peth!

EM: Dad sy' pia cae dan tŷ.

DEIO: Naci, 'nhad i sy' pia hwnnw hefyd! Rhoi 'i fenthyg o i dy dad ti
mae o, mi fedar o'i gymryd o oddi arno fo unrhyw adag lecith o!

EM: Dyna ma' Jêc yn weld ta!

DEIO: Be' mae o'n 'i weld?

EM: Cae dan tŷ. Y ... ffîld yndyr rhows ... us mein.

DEIO: Us mein tw <u>boro</u>!

EM: Ies! Ia, dyna oddwn i'n 'i feddwl.

DEIO: Argol!
(YSBAID SYNFYFYRIOL) 'Fi fydd pia pob un dim rhywbryd: y tir ... y gwarthaig ... y defaid ... y Lan Drofyr. Pob dim! Pan fydd 'nhad farw. Da te?! Mi fyddwn yn Wil a Jêc go iawn wedyn, Em! Mi fyddi di'n gweithio i mi go iawn. 'Gân sbort, 'cân!

EM: Os ma' dyna bydda'i.

DEIO: 'Gân sbort, Em!

EM: Os ma' ffarmwr bydda'i.

DEIO: Gwas ffarm! Gwas i mi.

EM: 'Wrach.

DEIO: Fel dy dad! Be' arall fyddi di?

EM: Dwn i ddim. Tynnwr llunia. Dwn i ddim.

DEIO: Chwara' hefo creions?

EM: Paentio! Mus Wilias wedi dweud bod gin i lygad.

DEIO: Ma' gin i ddwy!

EM: Hefo paent ... a ... a ... brwsh ffwl seis fel s'gin Mr Dyrban, cap coch, o ffwr'. Mae o'n gwneud 'i ffortiwn, medda fy mam, gwneud cymaint â'r dyn hel mwsog bob tamad, a ma' pawb yn gwbod 'i fod <u>o</u>'n cael pumpunt y sach!

DEIO: Dim hôps!

EM: Pwy sy'n dweud?!

DEIO: Y fi sy'n dweud! Achos ... achos ... mi fyddi di angan pres i brynu bwyd i dy wraig a dy blant, ac ond yn rhy barod i weithio i mi.

EM: 'Wrach na fydd pia chdi ddim.

DEIO: E?

EM: 'Wrach ma' ... ma' Rhi geith y cwbwl.

DEIO: Rhi?

EM: Rhi 'di'r hyna, Deio.

DEIO: Hogan ydi Rhi! Iesgob, Em!

EM: *(YN FARWOL)*
Hogan 'i thad.

DEIO: Iesgob, mi wyt ti'n wirion! Be' 'sa hogan yn 'neud hefo ffarm gyfa'? Hogan! Iesgob! Medru troi budda ... a ... phobi bara 'gyfar dwrnod cneifio, i dyna ma' genod yn dda, siŵr!

EM: Cwbl ddudis i oedd bod hi'n hogan 'i thad!

DEIO: *(FFYRNIG)*
Ol paid â'i ddeud o! Dest ... paid â rwdlian.

YSBAID

EM: *(YN TEIMLO IDDO FYND YN RHY BELL)*
'Gan ni gysgu wrth ochra'n gilydd heno?

DEIO: *(SMALIO NAD OES OTS GANDDO)*
'M'ots gin i.

EM: Wil a Jêc. Hefo'n gilydd. 'Gân ni?

DEIO YN CODI EI YSGWYDDAU.

EM: Wn i! Be' am i ni dychryn nhw; dychryn y genod, heno yn y dent!
Smalio ma' ... smalio ma' ... hen Saeson ydan ni!

DEIO YN CODI EI YSGWYDDAU ETO.

EM: 'Fi 'di Mistyr Grofynyr! Ac ma' gin i gyllall ... a ... mwgwd am 'y
mhen!

DEIO: *(ILDIO)*
A fi 'di Mistyr Gresham! A mi dwi'n ... mi dwi'n ... byta plant yn
fyw! Berwi nhw hefo bwyd y moch a'i byta nhw!

EM: Bwganod! Wedi codi o'r pwll di-waelod, ac yn fwd ac yn faw
drostyn!

DEIO: Ew, ia!

EM: Gân ni sbort, Deio!

DEIO: *(DECHRAU YMGOLLI)*
Bwganod. Wedi colli'n breichia' a'n ll'gada, a thân yn torchi o'n cega' ni....

EM: *(YN EI GLUST)*
BW!!

DEIO: *(YN DYCHRYN)*
Asu bach!

EM: Watsia! Mae'r bwganod ar dy ôl di!

DEIO: Asu, be' sy' matar a'n't ti?!

EM YN CHWERTHIN.

DEIO: Be' sy'n bod a'n't ti heddiw?!

EM: Dest chwara'!

DEIO: Dest chwara' wir! Dest chwara' oedd Edgar bach, pan syrthiodd o i 'rafon wrth redag ar ôl gwarthaig, a disgyn dîn am ben i'r dŵr. Chwara'n wirion, ac yli di arno fo heddiw, craith chwe modfadd o'i goryn i'w glust!

EM: Sori, Deio!

DEIO: Sori, wir! Chei di ddim chwara' yn 'rysgol fowr dydd Llun 'sti, Em!

EM: Pam, 'sgyny nhw ddim amsar chwara?

DEIO: Mynd yno i ddysgu fyddwn ni. Mynd yno'i ... neud syms anodd ... ac ... ac enwi gwledydd poethion ... yn Affrica a llefydd felly. Yn Susnag, mêt!

EM: 'M'ots, nach'di. Dwi'n medru Susnag. Mus Wilias wedi 'nysgu i.

DEIO: Susnag! Chdi?!

EM: Mi rydw'i!

DEIO: Pwy ddudodd "thyrs"? Tyrd yn dy flaen, pwy aeth i siop Mistyr Grîn a gofyn am "pown o thyrs" yn lle "pown o lifyr"?

EM: Llynadd oedd hynny.

DEIO: Pawb yn chwerthin am dy ben di; hyd yn oed Mus Wilias yn chwerthin am dy ben di!

EM: Doedd hi ddim!
(SEIBIO, WEDYN YN GADARN): Doedd hi ddim, Deio. 'M'ots, prun bynnag, mi fydd pawb 'run fath yn 'rysgol fowr. Pawb.

DEIO: Pawb?! Ma' Susnag Rhi a fi yn well na Susnag Mags a chdi siŵr! Mi 'dan ni wedi bod yn Gaer a Lerpwl a bob man ... 'dach chi heb fod yn nunlla!

EM: Dw'i wedi bod yn....

DEIO: Lle?!

EM: Trawsfynydd! Ma' nhw'n medru Susnag yn fan'no.

DEIO: Nach'dyn, y lob! "Irish" ydyn nhw'n fan'no, 'sneb yn 'i dallt nhw'n siarad. A pheth arall, nid dest un sy'n dysgu yn 'rysgol fowr – ma' 'no ddega', ma' 'no filoedd o Mususus Wiliasus, ac mi wyt ti'n gorfod cofio'i henwa nhw'i gyd, a dweud "syr" a "madam" wrth 'i pasio nhw yn y cori-dôrs!!

EM: Iesgob, paid â rwdlian!

DEIO: Mae o'n wir, Em! Waeth i ti heb!

Y DDAU YN TROI CEFNAU AR EI GILYDD; Y DDAU'N BRYDERUS. YSBAID.

MAGS YN STWFFIO DARN O SIOCLED I'W CHEG YN AWCHUS. RHI YN CYMERYD SYLW OHONI.

RHI: Mi fyddi'n iawn tan 'Dolig rwan.

MAGS: Hmmm?

RHI: Nes 'cei di beth eto.

MAGS: P-nbl-d! *(EI CHEG YN LLAWN)*

RHI: Paid â siarad hefo llond dy geg.

MAGS: Penblwydd! Saff o gael peth 'radag honno: Mars Bâr 'wrach, neu Bownti. Ac ... ac ... 'wrach 'cai breis yn 'rysgol gin ddynas beic injian, os wna'i 'ngora a gweithio'n galad.

RHI: Pwy?!

MAGS: Musus Will Will *(DWEUD YR "LL")* Ddês yn bedwerydd llynadd, fu bron 'mi ennill pacad o Moltisyrs! *(CYSIDRO, CYN:)* Colli plentyn ddaru hi, dyna ddudodd mam, dyna pam mai'n prynu petha' da i'r plant bob blwyddyn.

RHI: Sut gŵyr dy fam, fedar hi ddim Susnag.

MAGS: Medar, 'tad! Dwi' 'di chlywad hi'n siarad laweroedd hefo'r dyn nionod.

RHI: Nid Susnag ma' hwnnw'n siarad, y gloman!

MAGS: O ffwr'. Pawb yn siarad Susnag o ffwr'.

RHI: Ers pryd?!

MAGS: Ma' Musus Will Will o ffwr' a dyna ma' hi'n siarad!

RHI: Nid Musus Will Will ydi henw'i – Miss Watson ydi enw'r ddynas, ma' 'nhad yn 'i hadnabod hi'n iawn, mae o wedi bod yn mynd â llefrith a wya' iddi ers blynyddoedd ac wedi sgwrsio hefo'i droeon. A pheth arall, pwy ddudodd wrthat ti y bydd hi'n dŵad i 'rysgol fowr? Ddaw hi ddim yr holl ffor' i fa'no siŵr, paid â siarad drw' dy het!

31

MAGS: Na ddaw, chwaith?

RHI: Na ddaw!

MAGS: Rhy bell i gyrraedd ar y beic injian ma' rhaid.

RHI: Nid hynny!

MAGS: Ddeng milltir yn y bys, Rhi! Wrth ymyl lan môr. Ma' nhw'n dy gadw di ar ôl os wyt ti'n gwneud dryga' ... a ... a ... ti'n gorfod cerad adra. Ond 'dydw'i ddim yn mynd i wneud dryga', dwi'n mynd i fod yn dda ... a ... a ... gwneud 'y ngora'.

RHI: Wyt ti wedi cael dy iwnifform eto?

MAGS YN GWINGO YN ANGHYFFYRDDUS.

RHI: Wyt ti?!!

MAGS YN NODIO.

RHI: Ydi hi'n newydd?

MAGS: <u>Fel</u> newydd, medda mam!

RHI: O Gaer? Nach'di, betia'i di! Dyna lle'r aeth mam i brynu f'un i.

MAGS: I'r siop yn Gaer?

RHI: Mae 'no fwy nag un siop siŵr! Mae 'no filoedd ar filoedd ohonyn nhw!

MAGS: Tebyg i siop Mistyr Grîn?

RHI: Cymaint ugian gwaith â honno!

MAGS: Iew!

RHI: Lle cafodd dy fam dy iwnifform di?

MAGS: Yn wardrob. Yn wardrob fy chwaer.

RHI: O!

YSBAID.

MAGS: Gân ni ... gân ni ista hefo'n gilydd? Cân? Y chdi a fi ... ag ... Em a Deio; mewn rhês, fel oeddan ni'n 'rysgol bach? Mi gân, yn cân?

RHI: Dwi'm yn gwbod, nach'dw! 'Wrach na fyddwn ni hefo'n gilydd o gwbwl, 'wrach na fyddwn ni yn yr un dosbarth, ac hyd yn oed os byddwn ni, desgia' ar wahân sydd gyny' nhw, pawb 'i ddesg, pawb ar 'i ben 'i hun.

MAGS: Paid â bod yn...! Iesgob! Paid â bod yn wirion! Mi fydd yn haws os byddwn ni gyd hefo'n gilydd, siŵr. H ... h ... haws hefo bysus a ballu; haws y'n rhoi ni gyd ar un bys.

RHI: Pwy sy'n dweud?

MAGS: Be' 'tasa ni'n mynd ar goll?!

RHI: Chdi eith ar goll, os eith rhywun. Colli dy ffordd a disgyn i'r cyt a boddi.

MAGS: Cyt?

RHI: Afon fudur yn llawn coitsis a llygod mowr, sy'n rhedag heibio'r ysgol. Disgyn i ganol honno fydd dy hanas di.

MAGS YN DECHRAU CRÏO.

RHI: Ol be' sy' rwan eto?

MAGS: 'Ddim 'isio boddi! O ... ofn marw!

RHI: Ma' pawb yn gorfod marw, be' s'a'n't ti?! Mae o'n dweud yn y Beibil, a 'tasa ti wedi gwrando ar Mus Olifyr yn yr ysgol Sul yn lle chwara' lol hefo Grês Penmaen Brith, mi fysat ti'n gwbod hynny. Mi farwodd Iesu Grist 'ndo, heb wneud ffys, ac mi farwodd 'nhaid i, ac mi farwodd Mair Polio, ac mi fydd yn rhaid i ti wneud hefyd, fel pawb arall!

MAGS: Ofn boddi yn 'cyt!

RHI: Ofn marw! Ofn boddi yn y cyt! Be' gythral sy'n bod a'n't ti?!

MAGS: *(MWY DAGREUOL)*
Iesgob, Rhi!

RHI: Be'?!!

MAGS: Rhegi!

RHI: Be'?!!!

RHI YN PINSIO MAGS YN GALED NES BOD HONNO'N GWICHIAN.

MAGS: Aw!

RHI: *(YN DDI-HIDIO)*
Diolcha! Mi 'sa boddi'n waeth.

YN YSTOD YR UCHOD, SWN AWYREN – YN NESÁU, HEDFAN UWCHBEN, YNA PELLHAU.

EM: Ero-plên!

DEIO: Jyrmans!

RHY'R DDAU FACHGEN NAID AR EU TRAED AC ANELU EU GYNNAU FRY.

EM: Rat-tat-tat-tat!

DEIO: Rat-tat-tat-tat!

EM: Got un himel! Têc ddat!

DEIO: Swein hwnt! Têc ddat an ddat!

EM: Jyrmans! Saethwch nhw, genod!

DEIO: Saethwch nhw!

RHI: *(YN LLAWN BRWDFRYDEDD)*
Dim peryg! Rysians ydyn nhw! Rysians, ar y ffordd i Mericia.

YR AWYREN YN PELLHAU. Y PEDWAR YN EDRYCH FRY, YN LLONYDD AM ENNYD.

EM: Ia, 'fyd?

RHI: Rysians! Mae nhw'n mynd i fomio Mericia a lladd miliyna'; mae'r Mericians yn mynd i wneud 'run peth iddyn' nhw, ac mi fydd pawb yn y byd wedi 'lladd!

MAGS: *(YN OFNUS)*
Argol, paid â rwdlian wnei di!

RHI: Mae o'n wir! Mae'r werles wedi siarsio, felly rhaid bod o'n wir! Ma' nhw wedi mynd i gwffio achos Ciwban, ac mi fydd hi'n rhyfal, ac mi laddan pawb!

MAGS: Be'di Ciwban?

DEIO: Be'di Ciwban?! *(CUDDIO ANSICRWYDD)*

MAGS: 'Wrach ma' Gari Tryfan oedd o, yn mynd rown' y byd yn 'i roced. Fo oedd o i chi! Mi glywis i'r werles yn dweud.

DEIO: Iwri Gagaryn, nid Gari Tryfan, y gloman! Iwri Gagaryn 'di enw fo! A dydi'o ddim yn yr awyr rŵan siŵr. Mae o wedi hen ddŵad i lawr.

MAGS: 'M'ots, nach'di! Ddôn nhw ddim i fa'ma i gwffio, mae o'n rhy bell.

RHI: Fydda'm rhaid iddyn nhw. Mae'r atyn bom yn cyrraedd i bob twll a chornal.

MAGS: Wir?

ENNYD O GYSIDRO.

DEIO: *(TROI'R STORI)*
Be' gân ni chwara'?!

MAGS: Tŷ bach!

EM: Cowbois!

DEIO: Jenyryl Cystar! 'Fi 'di Jenyryl Cystar!

EM: A fi 'di Byffalo Bul!

MAGS: Pwy ga'i fod?

DEIO: Rynin Rabut, siŵr iawn!

RHI: Mae'r atyn bom yn cyrraedd bobman, fel niwl yn union.

DEIO, EM A MAGS YN LLONYDDU AC YMDAWELU.

RHI: Mygu pawb; pawb yn y byd. Fydd 'na neb ar ôl.

MAGS: Nid os rheda'i i ffwr'! Nid os ... os rheda'i i fyny 'mynydd, yr holl ffordd i Bwlch Batal!

RHI: Mi gyrhaeddith fa'no hefyd, Mags!

MAGS: *(YN DDAGREUOL OFNUS)*
Nid os cuddia'i ym mhen pella' Ogof Gwenllian! Ddaw neb o hyd i mi'n fa'no!

RHI: Na ddaw? Na ddaw, 'wrach, beidio dy fod ti'n iawn, Mags. Chyrhaeddith 'na ddim fa'no, yn saff.

YSBAID.

DEIO: *(MENTRO GOFYN)*
Gân ni chwara' rŵan?

RHI: Wn i! Be' am i ni gyd fynd i weld?

DEIO: Gweld be'?!

RHI: Be' am i ni fynd i fyny'r mynydd am swae, edrach ddown ni o hyd i Ogof Gwenllian! Em?

DEIO: Paid â bod yn wirion!

RHI: Em?!

EM: Ia, 'fyd?

DEIO: Em!!

RHI: Wyt ti'n gêm?

DEIO: 'Dydan ni ddim wedi gosod y dent eto!

RHI: Mynd â'r dent hefo ni, y lembo! Dowch! Pwy sy'n gêm?! Mags?

MAGS: Dwn i ddim.

RHI: 'Rwyt ti newydd ddweud dy fod ti ofn marw!

MAGS: Paid â gwneud lol!

RHI: Lol wir! Chlywis ti mo'r ero-plên uwch dy ben di, dest rŵan?

DEIO: Paid â dychryn yr hogan!

RHI: Em! Mi wyt ti'n gêm, yn dwyt?

EM: Ydw'i?

RHI: <u>Cysgu</u> yn Ogof Gwenllian! Pam na fedrwn ni wneud hynny? Wyt ti'n gêm?

EM: Ew, ia?

RHI: Gân ni sbort, Em!

MAGS: Be' tasa ni'n dŵad i gwfwr llwynog?

DEIO: Neu wenci! Mi 'sa hynny'n waeth byth.

RHI: Wenci? 'Dach chi 'rioed ofn wenci?!

MAGS: 'M'ond iddyn' roi un sgrech, a ma' 'na ddega' ohonyn nhw'n 'mosod. Dyna sut laddwyd Ellis Cipar!

RHI: Naci ddim! Meddwi yn y Prins Llywelyn ddaru o, a chael 'i daro'n ddall a syrthio ar 'i ben i gors Esgairheulog.

DEIO: Paid â dychryn yr hogan wnei di?! Yli di, Rhi, rho di gora iddi, 'ti'n clywad, neu mi dduda'i adra, a gwialan fedw fydd dy hanas di wedyn.

RHI: Em, wyt ti'n gêm?!

MAGS: *(DAGREUOL)*
Peidiwch â mynd!

DEIO: B'istaw, y ragarug!

RHI: Em?!!

EM: Dwn i ddim! Deio?

DEIO: Os arhosi di 'fa'ma, mi gei di fod yn Wil. Y chdi fydd Wil, Em, a i fydd Jêc.

EM: Caf?

RHI: A'i yno fy hun!

DEIO: Cer ta! 'Di'o bwys gin i̲. 'Di'o bwys gin 'run ohono ni. Cer, i ni gael llonydd.

RHI: Em wyt ti'n dŵad, ta wyt ti ddim?

EM YN CAEL EI DYNNU DDWY FFORDD.

DEIO: Howdi, Wyl!

EM: Howdi...! *(PETRUSO, YMWYBODOL O'R PWYSAU O DU RHI)* ŵrach ... 'do'i hefo ti 'fory.

RHI: Iawn ta, os ydi'n well gin ti chwara'. Ond mi fydd yn edifar gin ti, Em bach! Mi fydd yn edifar gyno chi gyd!

DEIO: Paid â gwrando arni yn berwi.

MAGS: Ydi hi'n dweud y gwir? Ydan ni mewn peryg?

EM: Iesgob, sut gwn i?!

DEIO: 'Chdi fydd y cynta' i'w chopio'i, os ydan ni.

MAGS: Pam fi?!

DEIO: Am ma' chdi sy'n swnian fwya'!

MAGS YN ANHAPUS AC YN GWASGU EI CHOESAU; EISIAU PISO. Â O'R GOLWG TU ÔL Y GARREG. EM DDIM YN CYMERYD FAWR O SYLW, GAN EI FOD YN AWYDDUS I GYMODI Â RHI. DEIO YN DAL SYLW, AC YN YSTOD YR ISOD, YMLWYBRA TUAG AT Y GARREG A DRINGO I'W CHOPA.

EM: Â'n ni 'fory 'wrach! Ddo'i ... ddo'i hefo chdi 'fory. Ddo'i ... hefo chdi 'fory, Rhi.

RHI: Sut medrwn ni, a hitha'n ddy' Sul? Wrach na chân ni byth gyfla eto, am dy fod ti yn ormod o hen fabi mam. Am dy fod ti ofn.

EM: Ofn be'? Fi!

RHI: Ofn t'wllwch, ofn bô bô.

EM: Nach'dw i yn tad!

RHI: Ofn bod ar dy ben dy hun!

EM: Fyddwn i ddim ar 'y mhen fy hun!

RHI: Ofn bod hefo fi ar dy ben dy hun ta.

EM: Nach'dw i. Pwy ddudodd? Ew, nach'dw i.

RHI: Babi.

YN DDIRYBUDD, RHY RHI GIC IDDO.

EM: Asu! Asu!

DEIO, AR BEN Y GARREG, YN LLED-GYMERYD SYLW. MAE EI DDIDDORDEB PENNAF TU ÔL Y GARREG (MAGS).

EM: Deio! Gân ni ddechra' chwara' rŵan?

DEIO: Ia, o-reit.

EM: Tyrd ta!

42

DEIO: 'Rhosa di yn fa'na i edrach ar ôl y ceffyla! Mi 'rhosa i yn fa'ma ar lwc-owt. Y ... mecin ddy cosd us cliŷr, Jêc.

EM: Wyl!

DEIO: O, ia! Wyl. Y ... iw sdê ddêr.

EM: Fi sy' fod i ddweud! Wyl sy'n deud, Deio.

DEIO: Iawn! *(AROS)* Ol deud ta!

EM: Sori! Y ... iw sdê ddêr, Jêc. Ai sdê hîyr.

DEIO: O-cê pardnyr!

DAW SGRECH UCHEL (MAGS) O DU ÔL Y GARREG. DAW MAGS I'R GOLWG, YN CODI EI BLWMARS GORA MEDRITH HI.

EM: Be' sy'?! Be' sy' matar?!

MAGS: Y fo! Y fo, Deio, yn sbecian! Mae o wedi gweld!

EM: Gweld be'?!

DEIO: Gesiwch be' welis i?! Gesiwch be' welis i?!

EM: Be', Mags?!

MAGS: Gweld te!! 'Dwi'n mynd i ddeud adra!

DEIO: Gesiwch be' welis i?!

43

RHI: <u>Fedri</u> di, Em?

EM: *(CYSIDRO GOSODIAD RHI, CYN)*
Cythral! Yr hen ... gythral, Deio bach!

EM, WEDI EI GYTHRUDDO, YN RHUTHRO'R GARREG.

EM: Mi ladda'i di, y cythral!

EM YN ESTYN ARF O'I WREGYS – DAGYR FFAIR, GO IAWN – A SEFYLL YN FYGYTHIOL YNG NGWAELOD Y GARREG.

EM: Tyrd lawr i fa'ma!

DEIO: Tyrd ti i fy nôl i!

RHI: Cer yn dy flaen, Em. Cer amdano fo.

EM: Dyna wna'i os na ddaw o'i lawr!

RHI: Cer ta!

MAGS: Ia, cer amdano fo, Em!

EM YN CEISIO ESGYN Y GARREG, GAN BWNIO YN FFIAIDD A BWRIADOL Â'R DDAGYR. DEIO YN SYLWEDDOLI BOD Y SEFYLLFA YN DIFRIFOLI AC YN DEFNYDDIO EI DRAED I AMDDIFFYN EI HUN.

DEIO: 'Sa' draw! 'Sa' draw, neu mi gicia'i di yn dy ben!

MAGS: Cer amdano fo, Em!

RHI: 'Dwyt ti 'rioed 'i ofn o?!

*YMOSODIAD ARALL GAN EM, FFYRNICACH BYTH. MAE'N ENNILL
TIR. DEIO YN MYND I BOCED EI DROWSUS, NEU RHYWLE CUDD, A
TYNNU "LUGER" ALLAN – UN GO IAWN.*

DEIO: 'Sa' draw!!

EM: Asu, be'di hwnna?!

DEIO: Be' w't ti'n feddwl ydi'o?!

MAGS: Gwn! Gwn go iawn!

EM: G ... g ... gwn Jyrmans! Lle cest ti o?!

DEIO: Dest ... 'sa' di draw, mêt!

DAW DEIO I LAWR O DOP Y GARREG, GAN GADW'R GWN AR EM.

DEIO: *(YN FYGYTHIOL CHWAREUS)*
            Haaaaa!!!

EM: Esu, paid!

MAGS: Ia, paid!

DEIO: Wyt ti ofn!

EM: Nach'dw i !

DEIO: Haaaa!!!

MAGS: Paid!!

RHI: Gwn dad ydi'o? Mi wyt ti wedi dwyn gwn dad?!

DEIO: Benthyg!

RHI: Dwyn! Dwyn gwn dad, mi lladdith o chdi, Deio.

DEIO: Sut medar o, gin i mae'r gwn.

RHI: Mi wneith os duda' i wrtho fo!

DEIO YN ANELU'R GWN YN FYGYTHIOL AR RHI. RHI YN DAL EI THIR.

DEIO: Dest...! Dest...!

RHI: Be'?! Dest ... be', Deio?

YN DDIRYBUDD, DEIO YN TROI Y GWN AR MAGS. MAGS YN SGRECHIAN.

DEIO: Wyt ti'n mynd i ddweud adra mod i wedi bod yn sbecian? Wyt ti?!

MAGS: Nach'dw! Nach'dw!

RHI: Rho fo'i lawr, Deio.

YN RADDOL, DAW'R GWN I LAWR.

EM: Ga'i weld o gin ti?!

DEIO: Mae o'n un go iawn! Bwledi go iawn a bob dim!

MAGS: Ydi'o yn gwneud "bang"?

EM: Ga'i weld o gin ti?

DEIO: Dad gafodd hyd iddo fo pan oedd o'n cwffio yn 'rhyfal. Mae o wedi lladd toman o Jyrmans ... a Japs ... a Rysians ... a bob dim! A Jyrmans! 'Ndo, Rhi?!

RHI: Os wyt ti'n dweud, Deio.

DEIO: Mae o!

MAGS: Ydi'o yn gwneud "bang"?

EM: Ga'i weld o gin ti?

DEIO: Dest am funud ta.

DEIO YN RHOI Y GWN I EM YN OFALUS.

DEIO: Watsia ollwng o!

EM: *(ANWYLO Y GWN)*
Ew!

MAGS: Ga' i afael ynddo fo?

DEIO: Ydi Indians yn gw'bod sut ma' gneud?

MAGS: Paid â siarad lol! Ga'i, plîs?

DEIO: Ty'd a fo i mi.

DEIO YN CYMERYD Y GWN ODDI AR EM A'I GYNNIG I MAGS. MAGS YN MYND AMDANO. YN DDI-RYBUDD, DEIO YN GOSOD BLAEN Y BARIL YN ERBYN TALCEN MAGS AC YN GWEIDDI NERTH ESGYRN EI BEN:

DEIO: BANG!!!!!!!!!!!!!!

MAGS: Waaaaaaaaaaaaaaaaaaaaa!!!!!!!!

MAGS YN DYCHRYN YN OFNADWY

RHI: Y ffŵl gwirion!

DEIO: Mymryn o sbort, be' sy' harut ti?!

DEIO AC EM YN GLANNAU CHWERTHIN.

RHI: *(WRTH DEIO)* Dychryn yr hogan! Ffŵl! *(WRTH EM)* 'Titha' 'run mor wirion.

MAGS WEDI DECHRAU CRÏO.

RHI: Be' di matar a'n't ti?!

MAGS: Wedi g'lychu 'mlwmars!

RHI: O'r nefi!

DEIO AC EM YN PIFFIAN CHWERTHIN.

RHI: Tyrd hefo fi, wir!

RHI YN LLUSGO MAGS TU ÔL Y GARREG. DEIO AC EM YN CAEL PWL ARALL O CHWERTHIN.

EM: Ga'i weld o gin ti eto?   *(Y GWN)*

DEIO: Un da 'di'o, 'nte?!

EM: Ga'i?

DEIO: Hwda.

EM YN CYMERYD Y GWN; EI ARCHWILIO YN OFALUS.

DEIO: Gwn go iawn, mêt.

EM: *(WEDI ENNYD O DDWYS GYSIDRO)* Gwn lladd, go iawn.
(ANELU'R GWN I GYFEIRIAD DEIO) Stic em up, bystyr!

DEIO: *(YN HWYLIOG)*
Esu, paid, wyt ti'n gall?!

EM YN CHWERTHIN YN WIRION.

DEIO: Tyrd a fo yma!

EM: Be' ga'i?

DEIO: *(DIFRIFOLI)*
        Cweir, os na roi di'o i mi'r munud 'ma!

*DEIO YN GWNEUD OSGO I GYMERYD Y GWN, OND YN CAMU'N ÔL
PAN FYGYTHIR EF O'R NEWYDD GAN EM.*

EM: 'Ti ofn!

DEIO: Dy ofn di? Hy! Ma' gin i fwy o ofn pry ffenast!

EM: Stic em yp!

DEIO'N UFUDDHAU.

DEIO: Tyrd â fo yma neu mi dduda'i ma' chdi roddodd washar yn 'plat
        casgliad Sul dwytha ... a dwyn grôt! - Tra oedd Mistyr Ifas,
        Gwastadannas, yn trïo dal sylw Mus Preis yr organyddas! Mi
        dduda'i, Em bach!

EM: Iawn! Deud ta, dim ots gin i!

DEIO: A mi dduda'i...!

EM: Be'?!

DEIO: Ma' chdi daflodd fangar i ardd gefn Tŷ Isa' a dychryn Gareth
        Mongol! O gwnaf! Mi dduda'i!

EM: Iawn, dim ots gin i!

50

DEIO: A mi dduda'i...!

EM: Be'?! Be'?!

DEIO: Ma' chdi wthiodd fys i dîn yr oen bach del 'na welson ni wedi 'ddal yn y wiran bigog ddechra'r Ha'.

EM: Nid y fi ddaru!

DEIO: 'Chdi ddaru, Em bach! Mi oedd dy hen fys di'n drewi am ddiwrnodia' byw! 'Sglyfath! Be' 'sa Mus Wilias yn ddeud tua'r ysgol 'tasa hi'n dŵad i wybod, ysgwn i?

EM: O-reit, o-reit!

EM YN TAFLU'R GWN I DEIO.

DEIO: Watsia c'ofn 'ti falu o!

EM: Sori! Dest cael sbort oddwn i.

DEIO: Sbort?! Gwn dad ydi hwn, ddaru dy dad ti ddim mynd ar gyfyl rhyfal hyd yn oed ... na lladd Jyrmans na dim byd!

EM: 'Doedd dim rhaid iddo fo! Ffarmwr ydi'o, mi oedd gyno fo hawl aros adra.

DEIO: Gwas ydi'o!

EM: Gwas ffarm! 'R'un peth!

DEIO: 'R'un peth?! 'R'un peth! Dest ... dest paid â gofyn am gael 'i weld o eto, wyt ti'n dallt?

DEIO'N RHOI'R GWN O'R NEILLTU.

YSBAID.

TEIMLAD O DDIFLASTOD.
EM YN AWYDDUS I GYMODI.

EM: Nid ... y fi ddaru 'sti.
(DIM YMATEB)
Un o hogia'r Berthlwyd ddaru. Morus, y fo ddaru iti.
(DEIO YN LLED-YMATEB)
Gwthio bys i....

EM YN GWNEUD LLED-YSTUM O'R WEITHRED.
DEIO YN TROI I FFWRDD.

YSBAID.

EM: Ydan ni'n dal yn ffrindia?
(DIM YMATEB)
Ydan ni, Deio?

DEIO YN CODI EI YSGWYDDAU YN EIDALAIDD..

EM: Be' ... welist ti? Tu ôl y garrag? Be' welist ti?

DEIO YN CRECHWENU.

EM: Be' welist ti?!

DEIO: Dim!

EM: Ty'd yn dy flaen!

DEIO: Gesia!

EM: Blwmar? Welist ti flwmar?!

DEIO YN PIFFIAN CHWERTHIN.

EM: Do, 'fyd! Pa liw?

DEIO: Pa...?! Pa liw wyt ti'n 'i feddwl?

EM: Lliw blwmars!

DEIO: Nefi blŵ!

EM: Ia, 'fyd!

DEIO: Dyna welis i! Blwmars nefi blŵ!

Y DDAU YN CRECHWENU AC, AR WAHÂN, CYSIDRO Y PETH.
YN YSTOD, DAW RHI I'R GOLWG AR BEN Y GARREG, WEDI DRINGO I
FYNY O'R OCHR BELLA'; EISTEDD AR Y COPA, HEB I'R BECHGYN
SYLWEDDOLI EI BOD YNO.

EM: Mi welis i flwmar <u>gwyn</u> rhywdro!

DEIO: Esu, do?

EM: Wir yrr, ond paid â dweud wrth neb!

DEIO: Lle? Pryd? Blwmars dy fam ar lein, ma' siŵr! Pawb wedi gweld rheini!

EM: Naci!

DEIO: Pwy ta?! *(SEIBIO)* Tyrd 'laen, Em! Pwy?

EM: M ... M ... Mus Wilias.

DEIO: Mus...!

EM: Blwmars gwyn Mus Wilias! Yn 'rysgol, pan es i i chwilio amdani amsar chwara', pan ddaru Harri Fawcett fygwth lladd 'i hun hefo potal o lefrith.

DEIO YN SYLLU YN GEG-AGORED.

EM: Dwi'n deud y gwir, Deio!

DEIO: Be' welist ti! Be' welist ti?!

EM: Ol blwmars gwyn Mus Wilias te! Mi oddat ti adra'n sâl.

DEIO: Oddwn i?

EM: 'Doedd dim golwg ohoni yn y dosbarth ... nag yn y stafall fyta chwaith. Mi es i'r gegin i chwilio amdani, rhag ofn bod hi'n siarad hefo Gwyneth, ond 'doedd Gwyneth ddim yno ... achos bod hi wedi mynd adra. Ac felly, mi es i i'r storwm, i weld os oedd hi yn fa'no....

DEIO: 'Dwyt ti ddim i fod i fynd i fa'no!

EM: 'Dwi'n gwybod! Ond 'roedd yn rhaid imi, achos ... achos bod Fawcett yn bygwth lladd 'i hun!

DEIO: Ia?

EM: Gesia be' ffendis i yn y storwm, mêt!

DEIO: Stôrs?

EM: Lle merchaid! Mae 'no le merchaid, reit yn pen pella, dyna lle ma' Gwyneth a Mus Wilias yn gwneud iti, yn lle gwneud yn lle merchaid tu allan.

DEIO: Ia 'fyd?

EM: Mi ... mi oedd y drws yn gil 'gorad ... a ... a gola i'w weld ... a dyna pryd gwelis i nhw.

DEIO YN GEG-AGORED.

EM: Blwmars gwyn Mus Wilias!

DEIO: Be' wnest ti?

EM: Rhedag nerth 'y nhraed, c'ofn 'mi gael row!

DEIO: Mi 'sa Fawcett wedi medru marw ar dy gownt di ta!

EM: Naf'sa! Achos ... achos mi ddoth Mus Wilias i'r iard prun bynnag, ryw funud wedyn, a rhoi stop ar 'i lol o.

DEIO: O!

DEIO YN CYSIDRO, CYN:

DEIO: Be' arall welist ti? Welist ti...?! Wsti...!

EM: Be'?

DEIO: Ws – ti!

EM: Gweld be'? Do! Do, siŵr.

DEIO: Wyddost ti be'di'o go iawn. Wyddost ti? Dw'i 'di sbïo yng Ngeiriadur Mawr Cymraeg Dewyth' Dafydd, mae o'n dweud yn fa'no. 'Stynis i o'i lawr o ben dresal, a sbïo. "Dirgelwch gwraig fagina", dyna mae o'n ddweud yn hwnnw.

(DWEUD "FAGINA" YN SEINEGOL)

EM: Gwraig pwy?

DEIO: Fagina!

EM: Nid dyna mae o'n cael ei alw!

56

DEIO: O, ag ers pryd ma' gyno <u>chi</u> Eiriadur Mawr Cymraeg?

EM: Nid dyna mae o'n cael ei alw, Deio! Nid "dirgelwch gwraig fagina" fydd 'nhad yn 'i ddeud, pan ma' Mot y ci yn myllio ac yn mynd i ganol y defaid yn lle o'i cwmpas nhw!

DEIO: Pobol capal, dyna ma' nhw'n 'i ddweud ta!

EM: O!

YSBAID.

DEIO: *(YN OFALUS)*
Gest ti ... sbec arno fo ta? Wsti ... pan welist ti flwmars gwyn Mus Wilias?

EM: Gest ti, gynna?

DEIO: Fi ofynnodd gynta'!

EM: Do, mi gwelis i o!

DEIO: A finna! Mi gwelis inna' fo hefyd!

ENNYD LLETCHWITH.

RHI: *(O BEN Y GARREG)*
"Hi", nid y "fo"....

DEIO / EM: *(DYCHRYN)*
Asu!!

DEIO: Ers faint wyt ti'n llyffanta 'fa'na?!

RHI: Ydach chi'n berffaith siŵr, y'ch dau?

DEIO: 'Nychryn i! Gloman wirion. Ynte, Em?

EM: Ew, ia!

(CYD-CHWERTHIN YN NERFUS)

DEIO: Tyrd, Em, gad 'ni ddechra' gosod y dent....

EM: Ia, cyn iddi dwllu wir....

Y DDAU FACHGEN YN MYND ATI I OSOD SGERBWD Y DENT.

MAGS: *(LLAIS)*
    Rhi!

DAW MAGS I'R GOLWG O DU ÔL Y GARREG.

MAGS: Lle'r est ti?!

RHI: Gesia be' glywis i dest rŵan, Mags?

MAGS: Pibydd y mynydd! Clywis inna' fo hefyd, ryw funud yn ôl.

RHI: Gesia be' ma'r ddau yma wedi bod yn 'i ddweud?

Y BECHGYN YN ANESMWYTHO.

RHI: 'Dach ch'isio gweld pa liw 'di f'un i, hogia?!

MAGS: Lliw be'? Ydan ni'n chwara' lliwia'? Ga'i fod yn goch?!

RHI: Be' amdani, Em?

RHI YN CODI EI SGERT RHYW FODFEDD NEU DDWY.

MAGS: Iesgob, bewt ti'n wneud, Rhi?! *(GAN CHWERTHIN YN ANSICR).*

RHI: Dangos rwbath i Em ydw'i. 'Nte, Em?

Â'R SGERT I FYNY RHYW FODFEDD ETO.

MAGS: Be' gythral wyt ti'n wneud, Rhi?! *(CHWERTHIN YN WIRION)*

DEIO: Rho gora iddi, yr huran wirion!

RHI: Dim ond os dudith Em wrtha'i am beidio.

Â'R SGERT I FYNY RHYW FODFEDD ETO.

DEIO: Ol duda rwbath wrthi, y llwdwn!

MAGS YN CHWERTHIN YN WIRIONACH.

EM: Be'?!

DEIO: Brysia, neu mi fydd hi'n rhy hwyr!

Â'R SGERT I FYNY RHYW FODFEDD ETO. MAGS YN GWICHIAN CHWERTHIN; GWASGU EI CHOESAU.

EM: Paid! Paid â ... gneud lol.

RHI: A finna'n meddwl dy fod ti 'isio.

EM: Pwy ddudodd mod i?!

MAGS: Be'?!'Isio be'?!

RHI: Finna'n meddwl dy fod ti'n hoff o beth fel'na!

MAGS: Be'?! Hoff o be'?!

EM: Ydw'i? Pwy sy'n deud?! Dydw'i ddim 'sti, Deio!

MAGS: Be' mae o wedi wneud? Mi dduda'i adra!

EM: Meiddia di!

RHI: Ac mi dduda i̱ wrth Mus Wilias.

MAGS: Dweud be'? Wrth Mus Wilias 'rysgol? Dweud be'?!

RHI: Dweud be' welodd Em, siŵr iawn.

EM: Hy! 'Dwyt ti'm haws, achos ... achos mi fyddan i gyd yn dechra' yn 'rysgol fowr ddydd Llun ... a welan ni byth mo'ni eto, felly iêcs i chdi!

RHI: 'Gwelan ni hi yn 'rysgol Sul, 'gnân. Mi fyddi'n dal i fynd i fa'no, 'n byddi?

MAGS: Be' welodd o?

RHI: Wyt ti'n addo peidio dweud?

MAGS: Nach'dw. Yndw, dwi'n feddwl!

EM: *(YN FYGYTHIOL IAWN)*
Meiddia di! Meiddia di, ac ... ac mi dduda'i betha' amdanat ti hefyd!

RHI: Fel be'?! Fel be', tyrd yn dy flaen, be' fedri di ddweud amdana'i – ac wrth bwy?

EM: Mi dduda'i ... mi dduda'i ma chdi daflodd garrag at Marsia Wilyr, a'i tharo hi yn 'i ffêr! Chdi ddaru, Rhi, mi gwelis i chdi'n wardio tu ôl i'r das fowr, mi gwelis i chdi'n codi'r garrag a'i thaflu hi! Mi gei di stîd os duda'i ... achos ... achos bod Marsia yn hen hogan iawn.

RHI: Sud gwyddost ti bod hi'n hogan iawn, 'dwyt ti'm yn 'i dallt hi'n siarad hyd yn oed. 'Dwyt ti'm yn dallt fisitors o gwbwl, yr oll fedri di wneud ydi agor a chau ciatia' iddyn nhw, a dweud "thenciw" os gei di geiniog am wneud!

MAGS: Ges i swllt unwaith.

RHI: A hyd yn oed 'tasa ti'n dweud! - hyd yn oed 'tasa ti – ma' gin i beth gwaeth o'r hannar i ddweud amdanat ti a Mus Wilias!

MAGS: Be'?! Be'?!

DEIO: Ia, be'?!

RHI: Mae o wedi bod yn sbecian, mae o wedi bod yn sbecian yn lle merchaid yn gefn y storwm.

DEIO: Ydi, mae o!

MAGS: Storwm 'rysgol? Iesgob, 'sneb i fod i fynd i fa'no!

DEIO: Dyna ddudis i!

MAGS: Ers pryd mae 'no le merchaid? *(ENNYD O GYSIDRO Y POSIBILRWYDD)*
Be' ... welodd o ta?

EM: Dim byd!

RHI: Blwmar! Mi welodd flwmar gwyn Mus Wilias!

MAGS: Ew!

RHI: 'Ndo, Em? Be' arall welis ti?

EM: Dim byd! Dest ... rho gora iddi!

DEIO: Watsia di, mêt, c'ofn daw 'i chariad hi wybod.

EM: Cariad pwy? Paid â...!

DEIO: Cariad Mus Wilias! Llew! Saer mowr cry' hefo d'ylo shefla'!

MAGS: Ma' nhw'n fwy na ffrindia'. Mae o wedi bod yn mynd â hi i whist dreif, medda' mam, ac mi drwsiodd byngjiar iddi rhywdro hefyd.

EM: Paid â malu, wneu di! B'istaw, cyn i mi roi clustan iawn iti!

DEIO: 'Chdi geith y glustan, os clywith Llew am dy giamocs di!

EM: 'M'ots gin i! Dda gin i mo'ni, prun bynnag! Mai'n ... mai'n hyll! Gwallt ... hyll ... a ... a ... hen dîn mowr tew!

RHI: 'Chdi ddyla wybod, 'chdi gwelodd hi yn 'i blwmar!

DEIO / MAGS: Bili Gôt a Nani Gôt
A dau dwll dîn
Un i gadw coffi
Llall i gadw crîm!

EM: Ma' gyni hi dîn mowr, ma' pawb yn deud!

RHI: 'Wrach bod hi'n disgwyl babi.

DEIO: E?

RHI: Dyna pam, 'wrach. Mae'n siŵr 'i bod hi, achos o fa'no ma' babis yn dŵad, 'nte Em?

MAGS: Ew, ia?

DEIO: Ol...! *(AR FIN DWEUD "IA" CYN ATAL)*

RHI: 'Nte, Em? Mi glywis i chdi'n dweud wrth Gareth Tŷ Isa' tu ôl 'lafytri. Dweud peth fel'na wrtho fo, a fynta ddim yn iawn.

EM: Naddo, 'tad!

RHI: Do, mi wnest! Dyna ddudist ti. Ac mi glywis i chdi'n dweud rwbath arall hefyd.

EM: Naddo ddim!

RHI: Be' arall ddudist ti wrtho fo, Em?

DEIO: Ia, tyrd yn dy flaen, Em, be' arall ddudist ti?

MAGS: Be', Em?!

EM: Dim!

DEIO: Wn i! Wn i! Mi ddudist ... mi ddudist dy fod ti 'isio rhoi sws i Mus Wilias. *(CRECHWENU)* He!

MAGS: Iesgob!

EM: Naddo! Dda gin i mo'ni, medda fi!

DEIO: Tyrd o'na! Be' am ddy' Gwenar Groglith llynadd, pan syrthist ti ar yr iard a brifo dy benglin?

EM: Baglu wnes i!

DEIO: <u>Trio</u> baglu! Er mwyn cael sylw. Er mwyn cael sylw Mus Wilias. Gorfod iddi olchi dy benglin di ... a ... rhoi plastar arni a bob dim!

EM: Baglu ar draws 'y nghara sgidia wnes i! 'Doedd gin i mo'r help!

DEIO: Baglu ar draws dy gara...! Betia'i dy fod ti wedi gorwadd yn dy wely yn nos, ac yn rhoi ho bach i dy benglin, a smalio ma' Mus Wilias oedd wrthi!

RHI: Wnest ti, Em?

MAGS: Be' arall ddudist ti wrth Gareth, dyna leciwn i wybod!

DEIO: Be' ddudodd o, Rhi?

RHI: Mi ddudodd.... *(SEIBIO, ER MWYN EFFAITH)* Mi ddudodd ma' fo rhoddodd o iddi.

DEIO: Be'? Rhoi be', i bwy?

RHI: Babi! Rhoi babi i Mus Wilias.

DEIO A MAGS YN SYFRDAN AM ENNYD.

DEIO: Esu mowr!

MAGS: Ieics!

DEIO: Wyt ti'n dweud y gwir?

RHI: Gofyna iddo fo.

DEIO: Y mochyn budur! Y ... y ... 'sglyfath iti! Gwneud peth fel'na i'r ddynas!

MAGS: Mochyn! 'Dydach chi ddim 'di priodi na dim! Mi yrran nhw chdi i jêl!

RHI: 'Dydi'm rhaid iti briodi i gael babi.

MAGS: Ol oes, siŵr! Priodi, wedyn cael babi; ac wedyn cael cegin i gwcio ynddi!

EM: 'Di'o ddim yn wir, prun bynnag!

RHY DEIO SGWD A THIPYN O BELTAN IDDO.

DEIO: 'Sglyfath budur!!

MAGS: Mochyn!!

EM YN SUDDO I'R LLAWR YN DDAGREUOL.

RHI: Dyna ddudist ti wrth Gareth, Em!

EM: Naci!

RHI: Mi dduda'i wrth Mus Wilias, ac mi fyddi mewn trybini wedyn, yn siŵr i ti!

EM: *(YN DDAGREUOL)*
O-reit, o-reit! Mae o'n wir!

RHI: Be' sy'n wir?

EM: Dyna ddudis i wrth Gareth Tŷ Isa'!

RHI: Mi ddudist glwydda wrtho fo?

EM: Do! Do!

DEIO: Mochyn!

MAGS: 'Sglyfath!

DEIO: Mochyn!

MAGS: 'Sglyfath!

DEIO: Mochyn!

MAGS: 'Sglyfath!

RHI: Rhowch gora iddi!

RHI YN RHEOLI Y SEFYLLFA YN LLWYR ERBYN HYN.

RHI: *(YN EITHAF TYNER)*
            Gadwch llonydd iddo fo.

DEIO A MAGS YN TEIMLO BRAIDD YN EUOG WRTH IDDYN EDRYCH
AR EM YN SWPYN DAGREUOL AR Y LLAWR.
Â RHI ATI I OSOD GORCHUDD (HEN SACHAU) AM SGERBWD Y
DENT. Â MAGS ATI I'W CHYNORTHWYO.

67

DEIO: *(YMHEN SBEL)*
Be' sy' matar a'n't ti? 'Di cowbois ddim yn crïo 'sti, Em! 'Di ...
John Wên ...a ... Wil a Jêc – 'dydy' nhw ddim yn crïo, yn saff iti.

EM: Sut gwyddost ti? 'Wrach 'i bod nhw.

DEIO: Crïo a lladd Indians? Paid â siarad yn hurt! Tyrd yn dy flaen.

Â'R BECHGYN I HELPU'R MERCHAID. CWBLHEIR Y GWAITH O OSOD Y DENT.

RHI: *(YN "FWRIADOL")*
Pwy s'isio cysgu wrth ymyl bwy?

Y TRI ARALL YN CYSIDRO, CYN:

DEIO: *(WRTH EM)*
Wrth d'ymyl di!

EM: *(WRTH DEIO)*
Wrth d'ymyl di!

MAGS: *(WRTH RHI)*
Wrth d'ymyl di!

EM: Ydan ni'n ... mynd iddo fo rŵan?

RHI: Mi 'dan ni angan mwy o ddŵr, rhag ofn byddwn ni gyd farw o sychad ganol nos. Angan rhywun i fynd lawr i pwll chwaral i'w nôl o.

DEIO: Bewt ti'n feddwl 'ti'n 'neud? Pwy ti'n feddwl wyt ti? Fi sy' ddeud be' 'dan ni angan, a be' 'dan ni ddim. A fi sy' ddeud pwy ddyla fynd i'w nôl o. Fi 'di bos, Rhi, fi 'di Sheriff.

RHI: 'Isio mynd dy hun wyt ti? Ia, mwn. Iawn, cer di.

MAGS: Iew! Holl ffordd i pwll chwaral a hitha'n dechra' twllu. Mi 'sa gin i ofn, Deio!

DEIO: Of...? Ol bysat, y chdi! Trw' dy dîn ac allan. Hogan wyt ti. Indian.

MAGS: Âff brîd.

DEIO: Gwaeth! Ma' rheini ofn 'i cysgod.

RHI: <u>Wyt</u> ti ofn? <u>Wyt</u> ti, Deio?

DEIO: *(WRTH EM)*
Clyw hon!

RHI: Nagwyt, debyg. Chditha wedi 'drochi ynddo fo filoedd o weithia' – wedi deifio'i mewn tros dy ben, a nofio'r holl ffordd ar draws – ac yn ôl!

MAGS: Ddaru chdi, Deio? Ddaru chdi go iawn?

DEIO: Be'?!

RHI: Ol do siŵr!

DEIO: Ddarum i be'?!

MAGS: Deifio i bwll chwaral tros dy ben, a nofio'r holl ffordd ar draws – ac yn ôl?

RHI: *(WRTH EM)*
Wyt ti am fynd hefo fo? Ta ... wyt ti am aros yma hefo fi. Aros yma i edrach ar f'ôl i, Em! Glywist ti, Deio? Ma' Em am aros yma hefo fi, ddaw Mags hefo chdi i nôl y dŵr!

DEIO: Mags?!

EM: Ddeudis i'm ffasiwn beth!

DEIO: Dim ffîars!

MAGS: Holl ffordd i pwll chwaral? Dim diolch!

RHI: Wyt ti 'isio cysgu wrth f'ymyl i heno, ta wyt ti ddim?

MAGS: *(SŴN CRÏO)*
Rhi!!

DEIO: Waeth i ti heb, Rhi! Ma' Em yn dŵad hefo fi – 'n dwyt, Em?

RHI: Mae o'n aros yma hefo fi!!

DEIO: Dim ffîars, medda fi!

RHI: Ma' Em!! ... yn aros, achos ... os na wneith o, mi fydd hi'n ddrwg arno fo.

DEIO: Paid â chymryd sylw ohoni, Em. Ty'd yn dy flaen....

WEDI ENNYD O GYSIDRO, EM YN CYCHWYN GYDA DEIO. RHY RHI
EI LLAW I FYNY, FEL PE BAI MEWN DOSBARTH.

RHI: Plîs, Mus...! Mus Wilias ... ma' gin i rhywbath i'w ddweud
              wrthoch chi ynglŷn ag Em. Mae o wedi bod yn hel straeon
              amdanoch chi, Mus, tu ôl y lafytri....

EM WEDI EI LORIO AM ENNYD.

DEIO: Paid â gwrando arni yn rwdlian! Chwara' lol mai siŵr, feiddia hi
              ddim deud go iawn!

MAGS: Wyt ti'n mynd i ddeud go iawn, Rhi? Be' ddigwyddith iddo fo?

RHI: Dim. Os arhosith o yma hefo fi.

EM MEWN CYFYNG GYNGOR.

DEIO: Ol paid â gwrando ar y gnawas! Ty'd yn d'laen. Y ... mosi dawn
              ddy lêc, Jêc!

RHI: *(CODI LLAW)*
              Plîs, Mus...!

DEIO: Em!!

EM: Mi 'dw'i isio dŵad, Deio!

DEIO: Ol ty'd yn dy flaen ta!

MAGS: Ia cer hefo fo wir!

RHI: Mus!! Mus!

EM: Hefo chdi 'dw'i isio bod!!

RHI: Mus! Mus! Mus!

ENNYD.

EM: Sori, Deio.

DEIO: Reit, mêt! 'Rhosa! 'Rhosa ... i ... chwara' hefo dy greions ... ag i ... ag i boitsio hefo ... hefo ... *(GENOD)* Os ma' dyna wyt ti 'isio!

DEIO YN MYND. MAGS YN RHEDEG AR EI ÔL.

MAGS: Paid â mynd hebdda'i!

RHI WEDI CAEL EI FFORDD EI HUN. EM YN FLIN. RHI YN ESTYN LIPSTICK A DRYCH, A DECHRAU RHOI PETH AR EI GWEFUSAU. YN RADDOL, TYMER EM YN MEIRIOLI Â'I CHWILFRYDEDD YN CYNYDDU. MAE RHI A'R LIPSTICK YN GYNHYRFUS BERYGLUS.

EM: Be'di ... hwnna s'gin ti?

RHI: Injia roc, bewt ti'n feddwl ydi'o?

EM: *(YN FLIN ETO)*
          Mi wn i be'di'o, Rhi!

72

RHI: *(YMOSODOL)*
Pam gofyn ta?!

EM: Dest ... gofyn!

SAIB:

EM: Lle ... cest ti'o?

RHI: Yng ngwaelod hen fag rôth mam i mi chwara', os ydi'n rhaid it ti
gael gwybod.

EM: O!

RHI: Wyddost ti i be' mae o'n dda?

EM: Gwn!

RHI: Siŵr?

EM: Gwn, medda fi!

RHI YN SEFYLL YN AGOS IAWN AT EM ERBYN HYN.

RHI: A finna. Mi wn inna' hefyd, Em.

EM YN LLONYDD, YN ANSICR GYNHYRFUS.

EM: Shhtt!!

RHI: Be' sy'?

EM: Clŵad! M ... meddwl i mi glŵad Deio a Mags yn dŵad yn 'i hola.

RHI: Bewt ti'n feddwl ydyn nhw – mellt?

YN RADDOL, YN YSTOD YR ISOD, RHI YN CYDIO YN LAW EM.

RHI: Wyt ti'n cofio'r tri dringwr yn cael 'i lladd? Y tri Sais, yn cael 'i malu'n grybibion ar lethra' Moel Druman. Diwrnod Ffair oedd hi, ffair fach, wyt ti'n cofio? Mi gwelson ni nhw yn 'bora, ar 'u ffor' tua'r mynydd, ond pan gyrhaeddon ni adra gyda'r nos mi oedd y tri'n gelain. Er, dim ond dau gorff ffendion nhw hefyd. Rhei yn dweud ma' dim ond dau farwodd yn syth! Dyna mae'n nhw'n ddweud; a bod y trydydd wedi llwyddo i gyrraedd Bwlch Batal – ac wedi llusgo i Ogof Gwenllian a mochal yn fan'no. Be' am i ni fynd i weld?! Ddoi di, cyn i'r lleill ddŵad yn 'i hola? 'Wrach dôn ni o hyd i'w sgerbyd o!

EM WEDI EI LESMEIRIO AM ENNYD

EM: *("DEFFRO". DATGYSYLLTU EI LAW)*
Gweitsiad y lleill 'sa ora' i ni!

RHI: Gweitsiad fyddi di, Em. Gweitsiad drw' dy oes.

EM: Gweitsiad 'sa ora', Rhi!

YSBAID.

RHI: Fysat ti'n mynd hefo Mus Wilias – tasa'i yn gofyn iti?

EM: Ddim yn y twllwch!

RHI: Gefn dydd gola ta!

EM: Naf'swn siŵr, paid â siarad lol! *(SEIBIO)* Lol, dyna'i gyd oedd o, Rhi. Mus Wilias ... a ballu. Dest hen lol.

RHI: O! *(SEIBIO)* Marsia Wilyr ta – fysat ti'n mynd efo honno tasa'i yn gofyn iti?!

EM YN CYSIDRO.

RHI: Mi fysat ti!

EM: Dim ond am y'n bod ni'n ffrindia!

RHI: Ers pryd?!

EM: 'Nabod hi, tydw? Gweld hi ... pan ddaw hi acw i brynu llefrith a wya.

RHI: Wela i! A be' fyddi di'n gael i'w ddweud wrthi felly?

EM: Wrth bwy?

RHI: Marsia Wilyr, y lemon! 'Dydach chi 'rioed yn medru sgwrsio, o ddifri', a chitha'n dallt dim ar y'ch gilydd yn siarad.

EM: Dweud ... amball i beth.

RHI: "Helo" a "gw'bei"?

EM: Amball i beth.

75

RHI: Fel be'?

EM: 'Dw'i 'di...!

RHI: Be'?!

EM: Dangos llun iddi! Ll ... llun o'r chwaral, mi 'dw'i wedi ddangos o iddi.

RHI: Llun? Pa ... lun? Pam na fusat ti wedi ddangos o i mi? Pam, Em? Am fod yn well gin ti Marsia Wilyr debyg? Paid â bod gwilydd dweud....

EM: Nid hynny!

RHI: Be' ta?

EM: Ofn....

RHI: Ofn?!

EM: Byddat ti'n chwerthin am 'y mhen i!

RHI: Paid â bod yn ... ddwl!
(SEIBIO)
Paid â bod yn ddwl, Em bach.
(GAFAEL YN EI LAW, YNTAU YN FODLON IDDI WNEUD)
Nid y hi ydi'r unig un yn y byd 'ma 'sti. Mi 'dw' i cystad â Marsia Wilyr bob tamad iti gael dallt. Gwell, os rwbath.
(SEIBIO)
A chofia Em, 'run peth sgin y ddwy ohono ni....

SYLLU I FYW LLYGAID EI GILYDD

MAGS: *(LLAIS, YN CANU)*
"'Rwy'n siŵr o gael drwg gan fy mam,
O, be' wna'i...!"

EM YN TYNNU EI LAW O GRAFANC RHI. MAGS YN DOD I'R GOLWG
O DU ÔL Y GARREG, GYDA DWY BOTEL "CORONA" YN LLAWN DŴR.

MAGS: "A helynt, o achos y jam,
O be' wna'i...!
A'r hen debot tsieni
A'i big wedi torri
Bydd mam yn gynddeiriog pan welith hi'r lle..."

AR DIN Y LLINELL OLAF DAW DEIO I'R GOLWG O DU ÔL Y GARREG.
MAE UN DROED IDDO YN SOCIAN O WLYB, A GWNA HYN YN AMLWG
IAWN WRTH GERDDED.

MAGS: Ma' Deio wedi g'lychu 'i esgid! 'Ndo, Deio? Llithro ddaru o, wrth
redeg ar f'ôl i. Yntê Deio? Chwara Robin Wd oddan ni, a Deio
oedd Robin Wd, a fi oedd Mêd Marian, ac mi lithrodd Robin Wd
ar lan y dŵr a g'lychu! 'Ndo, Robin? Y ... Deio?

EM: Wyt ti'n ... iawn, Deio?

DEIO: *(BERWI O GYNDDAREDD)*
Ag ers pryd wyt ti'n malio os ydw'i yn iawn ai peidio? 'Tasa ti wedi
dŵad i nghalyn i, fel gofynis i iti, fysa hyn ddim wedi digwydd!

EM: Sut na fasa fo?

DEIO: Achos...! Achos...! Watsia di nes byddwn ni'n y 'rysgol fawr 'na ddy' Llun, mêt. Mi gei di wat ffor!

EM: *(EOFN)*
O, a be' sy'n mynd i ddigwydd felly?

DEIO: Mi cai di, Em bach, dest morol di be' dwi'n ddweud wrthat ti!

RHI: Paid â bod yn gymaint o hen fabi.

DEIO: Be' galwist ti fi?

RHI: Babi. Babi clwt.

MAGS: *(MENTRO)*
Hen fabi mam.

DEIO: *(WRTH MAGS YN FYGYTHIOL)*
Be' ddeudist ti?!
(WRTH RHI)
A'n't ti mae'r bai! Y chdi 'di'r drwg! Ond mi cai ditha hefyd – o caf! Pan fydd 'nhad farw, pan ddaw pob dim i mi, mi cai chi gyd! Waeth gin i be' ddeudi di, Rhi, i fi doith y cwbwl. Fel'na mai, a fel'na bydd hi – 'rhen <u>chwaer</u>!

RHI: Nes newidith petha!

WEDI EI ORCHFYGU, Â DEIO I'R DENT YN SORLLYD A CHYRLIO I FYNY.

MAGS: Ydan ninna'n mynd i glwydo hefyd?

RHI: Bewt ti'n feddwl ydan ni – ieir? Tyrd, Em!

RHI YN GAFAEL YN LLAW EM A'I DYWYS I'R DENT.

MAGS: A fi!

Y PEDWAR YN SETLO – DEIO, MAGS, EM A RHI.

MAGS: Cer â dy hen esgid wlyb oddi ar 'y nhgoes i!

DEIO: Lle 'ti'n disgwyl i mi rhoi hi, yn 'y ngheg?

MAGS: Mai ddigon mowr!

DEIO: Dest ... dest bydd ddistaw, wnei di?!

YSBAID.

DEIO: Em?

EM: Be'?

DEIO: Wyt ti ... wyt ti 'isio newid lle hefo Mags?

EM: I be'?

DEIO: Wyt ti?!

EM: Nach'dw, diolch.

DEIO: 'Dwyt ti ddim 'isio bod wrth f'ymyl i?
(DIM YMATEB)
Wil a Jêc, Em. Ar y preri.

Y PEDWAR YN LLONYDDU, MAGS YN RHOI BAWD YN EI CHEG A'I SUGNO.

DEIO: Wyt ti'n mynd i fod yn gwneud peth fel'na ddy' Llun?

MAGS: Be'?

DEIO: Pwy newidith dy glwt di tybad?! A dy fwydo di?! A ...a ... a mynd a chdi i lafytri?!

MAGS: Bydd di ddistaw, neu mi fyddai'n dweud!

DEIO: Deud be'? Be' fedri di ddeud?!

Y PEDWAR YN SETLO.
CI YN UDO YN Y PELLTER.
Y GOLAU YN MYND I LAWR.
DEIO YN CODI AR EI EISTEDD, RHWNG CWSG AG EFFRO.

DEIO: Deio, mus ... Deio bach, sym teim, ies.... Asu, no! No, us Gari Gagaryn not mi yn Duw – No! – us blac man ffrom sbês! Blac man ffrom mownten! Arglwydd, mus, ga'i egluro yn Gymraeg?!

AR HYN, TRY DEIO TROSODD I'W CHWITH A LANDIO AR BEN MAGS YN DDAMWEINIOL. RHY MAGS SGRECH, GAN GICIO A WALDIO; TWRW MAWR A GWEIDDI SY'N DEFFRO EM A RHI.

Â MAGS O'R DENT GAN SGRECHIAN; DIFLANNU TU ÔL Y GARREG.
Â DEIO AR EI HÔL YN GRUDDFAN, YN GWASGU EI GEILLIAU MEWN
POEN. MAE'N ESTYN Y "LUGER" CYN DIFLANNU TU ÔL Y GARREG.

YN Y DENT, GWNA EM OSGO I DDILYN.

RHI: Gad llonydd iddyn nhw.

Y DDAU YN GORWEDD YN SYFYFYRIOL LLONYDD.
SYMUDIAD, O DAN Y BLANCED.
EM YN YMATEB.

RHI: Paid â styrbio. 'Cha'i ddim babi wrth ddal d'ylo.

EM YN SADIO AC, YN ARAF IAWN, GADAEL I'W BEN ORFFWYS AR
YSGWYDD RHI. LLYGAID Y DDAU YN CAU.

MAGS: *(O DU ÔL Y GARREG)*
             Waaaaaaaaaaaaaaaaaaaaaaaaaa!

MAGS YN RHEDEG I'R GOLWG O DU ÔL Y GARREG. DEIO YN
RHEDEG I'R GOLWG O DU ÔL Y GARREG. DÔNT WYNEB YN WYNEB.

MAGS / DEIO: Waaaaaaaaaaaaaaaaaaaaaaaaaa!

ENNYD O WYNEBU EI GILYDD GAN ANADLU'N DRWM.

DEIO: Y globan! Brifist ti fi, y globan fach!

MAGS: 'Doedd dim 'isio i chditha' roi dy hen bawan arna'i 'nag'oedd!

DEIO: 'Doeddwn i ddim yn trïo!

MAGS: 'Doddat ti ddim yn trïo peidio!

DEIO: Hans yp!

MAGS: Be'?!

DEIO: Hans up sdrêt! *(DEIO YN ANELU'R GWN YN FYGYTHIOL)*

MAGS: Argol, i be'?!

DEIO: Achos mod i'n deud! Achos ... ma' fi 'di'r bos.

MAGS YN UFUDDHAU.

MAGS: 'Ti'n 'y nychryn i, Deio!

DEIO: Watsia! - c'ofn 'ti 'lychu dy flwmars eto wir!

MAGS: Sut medra'i, s'gin i ddim blwmars i 'lychu!

DEIO: *(WEDI ENNYD O GYSIDRO)*
Nag'oes? Lle ma' nhw ta?

MAGS: Hitia di befo!

DEIO: *(CRECHWENU)*
Lle ma' nhw, Mags?

MAGS: Mi dduda'i! Mi ... dduda'i adra.

DEIO: O gwnei?

MAGS: Gwnaf!

DEIO: 'Wrach na weli di mo dy adra eto!

MAGS: 'Rhaid i mi fynd adra, siŵr! Mae gin i adnod i'w dysgu i 'rysgol Sul.

DEIO: Adnod! ADNOD! Co! "Duw, cariad yw" eto mwn!

MAGS: "Cofiwch wraig Lot"!

DEIO: *(ENNYD O GYSIDRO)*
Neu ... "wraig fagina". Wyddost ti rwbath am beth felly?

MAGS: Pwy 'di honno?

DEIO: 'Gan ni weld rŵan, 'cân!

MAGS: Gweld be'?

DEIO: Os wyt ti'n dweud y gwir âi peidio. Cwyd dy sgert, tyrd yn dy flaen, gwna fel dwi'n ofyn i ti.

MAGS: Ma' nhw yn y dent!

DEIO: Be' sy'n y dent?

MAGS: 'Mlwmars i! Mi guddis i nhw o dan 'y mrechdana'. Yno mae'n nhw, Deio, waeth i ti heb a sbïo arna'i fel'na! A'i nhôl nhw, os leci di.

DEIO: 'Sa' lle'r wyt ti! 'Dw'isio gweld prun bynnag.

MAGS: Gweld ... be'?

DEIO: Gweld! Mi 'dw'i 'isio ... gweld yn iawn.

MAGS: Doddat ti ddim am weld gin Rhi gynna'!

DEIO: Rhi oedd honno! Cwyd hi, tyrd yn dy flaen.

MAGS YN UFUDDHAU, CODI Y SGERT RHYW FODFEDD.

DEIO: Ac eto.

Â'R SGERT I FYNY RHYW FODFEDD ETO.

DEIO: Ac eto!

MAGS: Mi dduda'i adra!

DEIO: Ac eto, Mags!

Â'R SGERT I FYNY ETO.

DEIO: Na! Paid. 'Rhosa funud. Dest ... 'rhosa funud.

MAGS YN ACHUB AR EI CHYFLE I RUTHRO HEIBIO IDDO I'R DENT.

MAGS: Em! Em, deffra! Ma' Deio wedi bod yn cambyhafio! Deffra, Em!

EM: Nefi, Mags – be' sy'?!

MAGS: Deio!! mae o wedi bod ... wedi bod yn fy hambygio'i, Em. Mae o wedi 'mygwth i, wedi 'mygwth i hefo'i wn go iawn! Wedi bygwth mynd i'r afal â fi!

EM YN GYNDDEIRIOG YN RHUTRHO O'R DENT A WYNEBU DEIO.
DEIO YN RHOI Y GWN I LAWR.

EM: A bewt ti wedi bod yn 'i wneud i Mags ni?

DEIO: Hy! Ma'r swnan wedi bod yn achwyn, mwn! *(CHWERTHIN YN ANSICR)* Hen swnan, Em!

Â YN GWFFAS FLÊR RHWNG Y DDAU FACHGEN.   YN Y DIWEDD DEIO YN CAEL Y GORAU O EM.
DEIO YN ESTYN CYLLELL BOCED A DAL Y LLAFN YN ERBYN GWDDW EM.

DEIO: Syrendyr?

RHI: Paid â gwneud!

MAGS: Gwna, Em!

RHI: Paid â gwneud, Em!

DEIO: Wyt ti'n syrendro, 'ta wyt ti ddim? Tyrd yn dy flaen, Em bach, neu mi ga'i fy sgalp di!

*MAGS YN ESTYN Y "LUGER" ODDI AR Y LLAWR A'I ANELU YN
SIMSAN I GYFEIRIAD DEIO.*

MAGS: Gad llonydd iddo fo! Gad llonydd iddo fo, Deio ... neu mi saetha'i.

DEIO: Rho hwnna i mi!

*DEIO YN CAMU AMDANI; MAGS YN TYNNU'R CLICIED. UFFAR O
GLEC, WRTH I'R GWN DANIO. PAWB YN DYCHRYN. MAGS YN CAEL
MYMRYN O HYSTERICS, ER YN DAL EI GAFAEL YN Y GWN.*

RHI: Rho fo i mi, Mags.

MAGS: Na!! *(ANELU'R GWN AT Y TRI YN EU TRO)* Gin i mae'r gwn.
Y fi 'di'r bos rŵan.

EM: Paid â bod yn...!

MAGS: Yn be'?!

EM: Dim byd!!

RHI: Mags, paid â bod yn wirion.

MAGS: Pw! Be'di'r ogla 'na?!

DEIO YN DAL EI LAW YN ERBYN TÎN EI DROWSUS.

MAGS: Y chdi – y mochyn bach!

DEIO: 'Doedd gin i mo'r help!

MAGS: Pwy sydd 'isio newid 'i glwt rŵan ta?!

RHI: Paid â chwara'n wirion, Mags!

MAGS: Nid chwara' ydw'i! 'Dwi'n ... go iawn. Yn Cinoddycasyl ... go iawn.

YN YSTOD YR ISOD Â MAGS I DOP Y GARREG.

MAGS: *(PARHAD)*
Y FI...!! Y fi ydi...! Ydi ...! ... Dimitys an y Gladi-etyrs! Jenyryl Cystyr ... ac Ifan-Hô! Byfflo Bul ... a Robin Wd! Y fi ydi ... ydi ... ydi IESU GRIST!! 'Nte, Rhi?

RHI: Ia, Mags. Pwy bynnag fynni di.

MAGS: 'Nte, Em?

EM: Ia'n tad!

MAGS: 'Nte, Deio bach!

DEIO: Desu mowr, ia! Dest ... paid â saethu.

MAGS YN RHOI'R GWN I LAWR. TAWELU. BODLONI.

DEIO: Gân ni.... *(SEIBIO)* Gân ni gyd fynd yn ôl i'r dent rŵan?

MAGS: Iesgob, ddo' i ddim, yn saff iti! 'Dydw'i ddim yn mynd i gysgu yn dy hen ogla <u>di</u> drw' nos!

RHI: Na finna.

DEIO: 'Doedd gin i mo'r help medda fi! Prun bynnag, mi gysgith Em wrth f'ymyl i. Yn gwnei, Em?

EM YN CYSIDRO. RHI YN GAFAEL YN EI LAW.

EM: Be' 'dan ni'n mynd i wneud?

DEIO: Em?

RHI: Wn i! Wn i be' wnân ni! Be' am i ni gyd fynd ... i fyny'r mynydd. I Fwlch Batal am swae; i Ogof Gwenllian, ydrach be' welan ni.

EM: Ia, 'fyd?

RHI: Wyt ti'n gêm?

EM: Hefo'n gilydd! Mynd ... hefo'n gilydd, Rhi.

RHI: Iawn, 'mots gin i. Mags?

MAGS: Holl ffordd i Fwlch Batal? Dim diolch. 'Sa well gin i fynd adra.

EM: Dy hun? Paid â bod yn wirion, 'dei di ddim adra dy hun siŵr!

RHI: Gad llonydd iddi, os ma' dyna mai 'isio!

MAGS: 'Sgin i ddim ofn mynd, Em! 'Sgin i ddim ofn ... mynd fy hun. A munud cyrhaedda'i gopa Crîb yr Eryr, mi fydd gola parlwr i'w weld! Ac mi ddechreith Pero gyfarth iti, ac mi ddaw dad allan i drws cefn i fusnesu.
Iawn wedyn, 'byddaf....

DEIO: Mi ddoi adra hefo chdi Mags.

MAGS: Na ddoi di wir. Mi dwi'n mynd adra fy hun Deio.

MAGS YN GADAEL.

DEIO: (AM RHI) 'Dwyt ti ddim yn pasa mynd hefo'i wyt ti, Em? Em, wyt ti? Ol nagwyt siŵr! 'Dei di ... 'dei di 'rioed yr holl ffordd i Fwlch Batal, a hitha'n dechra' twllu.

EM: Pam lai? 'Gei ddŵad hefo ni os mynni di. 'Ceith Rhi?

DEIO: 'Rhosa yn fa'ma! 'Gân sbort ... yn fa'ma siŵr. 'Rhosa hefo fi.
(SEIBIO)
'Gei di fod yn "Wyl"! 'Gei di ... fod yn "Wyl" am byth, Em!

EM: Am byth...?

ENNYD O GYSIDRO. RHI YN GWASGU EI LAW. CLOSIO. EM YN ILDIO IDDI YN DERFYNOL. MAE'R DDAU YN GADAEL

DEIO: Os ewch chi...!! Os ... ewch chi, welan ni byth monach chi eto! Achos ... bod y Pacistanli yn dal i grwydro'r mynyddoedd! Ydi, mae o! Nid ... hen stori oedd hi, Em, mae o yno go iawn iti. Mae o yno go iawn, mêt!

(YSBAID)

Cer ta, iti gael gweld be' ddigwyddith. Mi a i adra hefo Mags, 'di bwys gin i amdanoch chi!

MAGS: Na ddoi di wir! Mi 'dw' i'n mynd adra fy hun, Deio.

MAE MAGS YN GADAEL. DEIO AR EI BEN EI HUN.

DEIO: 'Gei di fod yn "Wyl", Em!!
'Chdi ... fydd "Wyl".
'Chdi ... fydd Sheriff.

Â'R GOLAU I LAWR I DYWYLLWCH.

DIWEDD

YR HEN BLANT

gan

MEIC POVEY

AMSER: PRESENNOL

LLEOLIAD: YSTAFELL DDOSBARTH HEN YSGOL GYNRADD

CYMERIADAU (OLL ODDEUTU DEUGAIN):

MAGS

RHI

DEIO

MEL

EM

BU'R ADEILAD AR GAU ERS DENG MLYNEDD; NI FU'N YSGOL ERS CHWARTER CANRIF CYN HYNNY. LLEOLIR Y DRWS FFRYNT (A'R UNIG FYNEDIAD) YNG NGHEFN Y LLWYFAN, AR OCHR DDE Y PORTH SY'N ARWAIN I MEWN, GYDA'I FACHAU HONGIAN COTIAU A DWY FAINC GUL O BOBTU. TUHWNT I'R DRWS, DYCHMYGWN LON BOST, A THUHWNT I HONNO, AFON. YN ERBYN Y WAL CHWITH, FFRYNT Y LLWYFAN MAE HEN DDESG UCHEL, FYGYTHIOL YR ATHRO WEDI EI DYMCHWEL AR EI HOCHR, FEL MORFIL AR DIR SYCH. AR HYD Y WAL DDE, OLION DEILIAID O'R GORFFENNOL – SEF DAU GANW TYLLOG AR BENNAU EI GILYDD, YNGHYD A RHWYFAU WEDI MALU. AR Y WAL UWCHBEN Y DDWY GANW, YMGROGA HEN GLOC YR YSGOL, A'I FYSEDD YN STOND DRAGWYDDOL AR UNARDDEG O'R GLOCH. YN IS I LAWR AR Y WAL DDE, DRWS A ARFERAI ARWAIN I'R GEGIN A'R MAN BWYTA, OND SYDD BELLACH YN ESTYLLOG. YNGHANOL YR YSTAFELL, I'W HAGOR A'U GOSOD ALLAN YN EU PRYD, PEDWAR BWRDD CARDIAU A DEUDDEG CADAIR BLYGADWY.

MAE'N NOSON YSTORMUS O WYNT A GLAW TRWY GYDOL Y CHWARAE.

*WEDI CYFNOD O YMGYFARWYDDO A'R UCHOD, DAW **MAGS** I MEWN A RHOI'R GOLEUADAU YMLAEN. WEDI DIOSG EI CHOT LAW A'I HONGIAN YN Y PORTH, RHY FFEIL FUSNES I LAWR AR Y FAINC. YNA'N BWRPASOL, DAW AT Y BYRDDAU CARDIAU A'R CADEIRIAU A DECHRAU EU HAGOR ALLAN.*

*WEDI SBELAN, **RHI** YN YMDDANGOS. WEDI DIOSG EI CHOT LAW, DAW O'R PORTH I GORFF YR YSTAFELL, GAN EDRYCH O'I CHWMPAS YN BWYLLOG, AC YMDEIMLO A'R AWYRGYLCH. AETH BLYNYDDOEDD MAITH HEIBIO ERS IDDI FOD YMA DDIWETHAF.*

MAGS: Welist ti rhywun?
Chwara teg iti am droi allan!

RHI: (MEDDYLGAR)
Pob dim mor fach. Fel ty dol.

YN YSTOD YR ISOD, A MAGS ATI I FFURFIO UN 'BWRDD' ALLAN O'R
PEDWAR BWRDD CARDIAU, A DODI'R CADEIRIAU O'I AMGYLCH.
RHI YN LLED-WRANDO ARNI'N PARABLU, OND YN FYFYRGAR
HEFYD WRTH IDDI HEL ATGOFION AM YR HEN LE.

MAGS: Chwara teg i Mr. Fawcett am roi menthyg rhein i ni!
Mi fydd yn wyth deg, nesa.

RHI: Be' sgin oed Fawcett i 'neud a dim?

MAGS: Welist ti rhywun ar dy ffor'?

RHI'N CYSIDRO HYN; NID YW'N SIWR.

MAGS: Mr. Gresham am 'neud 'i ora' medda fo!
Mr. Grosvenor hefyd, pan welis i o'n tendiad y fynwant 'dydd o'r
blaen; Mererid a Miss Adams o'r hen bost..

RHI: 'Ms'.

MAGS: Rheini; os medran nhw. 'Frwd iawn, chwara teg.

RHI: 'Gofyn sbio 'mhen i, yn llusgo allan ar noson mor uffernol.
Welist ti'r afon?

MAGS: *(LLAWN BWRLWM)*
Swatio dan y gobenydd yn gwrando ar y glaw!
'Chwaer a finna, yn sownd i'n gilydd fel dwy lwy!

RHI: 'Rannis i rioed wely nes oedd o'n hwyl.

MAGS: *(ANESMWYTHO; TROI'R STORI)*
Mi fydd heno'n gyfla, Rhi! Yn gyfla i'r gymuned..

RHI: Pa....gymuned?

MAGS: Ail-feddiannu; ail-gydio ynddi! Mi ddeudodd Mr. Felix wrth Edgar
y bydda'r cyngor yn siŵr o edrych yn ffafriol iawn ar gynnig lleol!

RHI: 'Gostith.

MAGS: Debyg 'gneith o. Ond be' 'di ystyr pres, pan ma' cyn gymaint yn y
fantol?

RHI: Seldar, os nad 'di'o gin ti.

MAGS: Ia, go dda!

OND NID YW RHI YN CHWERTHIN.

MAGS: Gobeithio daw 'na griw go lew.

A RHI'N FEDDYLGAR, GAN EDRYCH I GYFEIRIAD Y DRWS.

RHI: Does wybod pwy ddaw.

MAGS: Sud..?

RHI: ......pwy welis i.

MAGS: Pryd?

RHI: Ar y lôn, gynna'.

MAGS: Ar droed? Mewn car ddaw o, ddyliwn!

RHI: Pwy?

MAGS: *(OSGOI)*
           Wnan nhw fel'ma?

(SEF Y CADEIRIAU A'R 'BWRDD')

RHI: Be' am dy Edgar di; lle mae **o** arni?

MAGS: 'Rio Bravo' ar y lloeren! 'Wedi gweld hi ganwaith, ond...

RHI: Fedri di byth gael syrffed o John Wayne..?

MAGS: Wnan nhw fel'ma, Rhi?

RHI YN CYSIDRO'R DEUDDEG CADAIR A'R 'BWRDD'.

RHI: Deuddag, Mags? Addas iawn. Pwy fydd Jiwdas, tybed..

MAGS: Paid â siarad lol wir! Os nad ydi pobol yn mynd i gymryd hyn o
           ddifri....

96

RHI: Mi ei di a dy bêl adra? Neu dy 'fwrdd' a dy gadeiria' o leia'..

MAGS: Nid 'fi sy' pia nhw.

RHI: Naci, siŵr. Fawcett. Chwara teg iddo fo!

BRAIDD YN BWDLYD, A MAGS ATI I DDOSBARTHU TAFLENNI AR Y 'BWRDD', O'R FFEIL DDAETH GYDA HI. RHI YN EDRYCH O'I CHWMPAS, GAN GOFIO FEL ROEDD HI FLYNYDDOEDD YNGHYNT. TRY GADAIR I WYNEBU HEN DDESG YR ATHRO, AR EI HOCHR YN ERBYN Y WAL CHWITH; EISTEDDA AR GONGL Y GADAIR GAN LED-FABWYSIADU OSGO PLENTYN. DYCHMYGA EI HUN YN Y DOSBARTH ETO, A CHWYD LAW A BRAICH BETRUSGAR I DYNNU SYLW'R ATHRO ANWELEDIG. MAGS YN DAL SYLW, A GWENU'N HOFFUS.

MAGS: Gesia pwy arall gafodd wadd..!

RHI WEDI YMGOLLI; LLAW A BRAICH YN DAL I FYNY.

RHI: Plis, Miss...?

MAGS: Paid â sôn wrth y lleill, rhag ofn na ddaw hi ddim!

RHI: Be'...?

MAGS: Ol, mi wyt ti wedi hannar 'i chrybwyll hi'n barod!

RHI YN RHYTHU ARNI'N SYN.

MAGS: Miss Wilias! 'Dw'i wedi gwadd Miss Wilias!
Mi 'sa 'i gweld **hi** yn coroni'r cyfan!

FFÔN SYMUDOL A BERTHYN I RHI YN CANU.

MAGS: 'Cofio fel bydda'i yn y'n tywys ni ar droeon natur 'stalwm?

RHI: *(I'R FFÔN)*
Helo – yes, what is it darling?

MAGS: Heibio'r 'lay-by', a Bledd yn mynnu deud 'lai-bai' bob gafal er mwyn 'i gwylltio'i!

RHI: *(I'R FFON)*
No, I've told you – have one, save the rest for tomorrow..

MAGS: 'Lai-bai'! **'Lay**-by'!! Miss Wilias dlawd!

RHI: Put 'Nain'on will you......Quickly, you're breaking up!

MAGS: Wyt ti'n cofio, Rhi?

RHI: Mam? Be' sy'; be'di matar? Rhowch un iddi rwan, 'rhowch y gweddill o'r neilltu. Dyn a wyr; cynta medra'i deudwch wrthi.
(DIFFODD Y FFÔN)
Gnawas bach – cymryd mantais yn syth.

MAGS: **Wyt** ti'n cofio?

RHI: *(DRYSWCH)*
Be'; pwy?

MAGS: Miss Wilias yn gofalu amdanon ni gyd, fel iar ori!

RHI: *(DIAMYNEDD; LLED-GYHUDDGAR)*
Wyt ti wedi siarad efo'i? Ydi'n medru siarad dyddia yma!

MAGS: *(OSGOI)*
Sud **ma'** dy fam?

RHI: Hen. Anodd.

MAGS: Bechod!

RHI: Byw efo'i – ydi.

MAGS: Bechod.

YSBAID.

RHI: Siaradist ti efo Miss Wilias ta?

MAGS: Efo Metron Bwloc (Bullock), do.
Mi ddaru addo rhoi'r neges iddi.

RHI: Ag mi credist ti hi!

MAGS: Mi gredis Metron Bwloc, debyg!

RHI: Pam, Mags? Am fod ganddi bwt o fathodyn ar 'i theth yn cyhoeddi pwy ydi hi? Mymryn o awdurdod...

MAGS: Fydda hi byth yn deud clwydda, siŵr!

RHI: Wrth Miss Wilias? Paid ti a chael dy siomi!
Deud 'rwbath rwbath' iti. Cau 'cega nhw.
Deud fod du yn wyn os 'di rhaid.

MAGS: Ddim wrth rhywun sy'n talu am 'i lle!

RHI: Nid mewn gwesty ma' hi'n byw.
Prun bynnag, hyd yn oed tasa hi wedi derbyn y neges: hyd yn oed
tasa hi wedi **ddallt** o – be' wedyn?
Sut daw hi yma? Pwy cludith hi, drw' hwn? *(Y TYWYDD)*
Dy Fetron Bullock ddel di...?

MAGS: Be' wn i! Ydi ddim yn ddigon mod i wedi rhoi gwadd iddi?
Mi fydd pawb yn falch o'i gweld hi, waeth gin i amdanat ti!

RHI: Ddaw hi ddim, Mags! Na neb arall ar 'cyfyl chwaith!
'Sa waeth i ni fynd adra rŵan ddim!

*GYDA HYN, CNOCIO FFYRNIG AR Y DRWS. YN Y LLE CYNTAF, MAGS
YN DYCHRYN; YNA A'N ORCHFYGOL, GAN I'R CNOCIO WRTHBROFI
SYLW RHI. Y CNOCIO YN PARHAU, MAGS YN AGOR Y DRWS. CAMU'N
OL MEWN BRAW WRTH I **DEIO** WTHIO HEIBIO IDDI. MAE GOLWG
DIPYN YN FRAWYCHUS ARNO – YN WLYB SOCIAN; EI WALLT YN HIR
A BLER; HEB EILLIO ERS DIWRNODIAU; HEN GOT ARMI DAT EI
DRAED AMDANO, A 'RUCKSACK' CARPIOG AR EI YSGWYDD. NID
YW'N ANNHEBYG I'R MATH O DRAMP (JOHN PREIS, DYWEDER)
ARFERAI GRWYDRO'R WLAD 'SLAWER DYDD.*

MAGS: Be' wyt **ti** isio?

DEIO YN EDRYCH O'I GWMPAS. FEL RHI O'I FLAEN, AETH BLYNYDDOEDD HEIBIO ERS IDDO FOD YMA DDIWETHAF.

MAGS: Ol, be' 'ti'n 'neud yma, Deio bach!

DEIO: Llai o'r 'bach'. *(ENNYD O GYSIDRO'R LLE)*
Ffwcin hel!

MAGS: Llai o'r iaith 'na!

DEIO: Ma' isio sbio 'mhen i...

MAGS: Dyna ddeudodd dy chwaer.

DEIO: Ond bod o'n wir yn f'achos i.

MAGS YN ANESMWYTHO; DEIO'N CHWERTHIN.

RHI: Be' **wyt** ti isio?

DEIO: 'Gin i hawl i fod yma toes! 'Gwarfod cyhoeddus, dydi?
(TYNNU TAFLEN WEDI EI CHRENSHIO O'I BOCED A'I HAGOR ALLAN)
'Cynhelir cyfarfod cyhoeddus...'! Bla bla bla...
(SYLLU AR RHI)
O, gyda llaw: diolch am y lifft.

RHI: *(ANESMWYTHO MYMRYN)* Welis i mo'na chdi.

DEIO: Ddim 'isio 'ngweld i ti'n feddwl!
(YNA DAN EI WYNT): Gotsan.

MAGS: Be' ddeudist ti..!

RHI: *(EI 'GYSIDRO')*
Ddim isio dy weld ti. Ia, wrach.

MAGS: Wnai ddim diodda dy lol di heno, dallta!
(GAN GIPIO Y DAFLEN O'I LAW)
Lle cest ti hon?

DEIO: Ddim gin ti, diolch yn fawr iawn. Fentrodd neb i'r garafan, reit
siŵr. Digwydd gweld hi ar y lôn, os ydi'n rhaid i ti gael gwybod.
Rhyw ddiawl wedi thaflu hi mwn, am nad oedd o'n 'i dallt hi. 'Mha
ganrif wyt ti'n byw, Mags?

MAGS: *(BRAIDD YN HUNANGYFIAWN)*
Dyna fyddwn ni'n dal i siarad tua'r topia 'cw.

DEIO: Wel bwli ffor iw! Ty'd lawr i'r reservation am dro, gat ti weld sud
ma'i arno ni yn y byd go iawn!
Faint chwanag ydach chi'n 'i ddisgwyl?

RHI: *(AWGRYM O SBEIT)*
Ma'i wedi gwadd Miss Wilias.

DEIO: *(RHYTHU I GYCHWYN)*
Arclwy! Ydi'r hen grachan honno yn dal ar dir y byw?
Yn pibo'n 'i throw a dychmygu Lloyd George ar 'i chefn hi!

MAGS: *(AMDDIFFYNNOL)*
'Nath ddiwrnod da o waith, Deio!

DEIO: Be'di'r ots? Be'di'r **pwynt;** swp o esgyrn fyddwn ni gyd yn 'diwadd.

RHI: Ddim ots i chdi.

DEIO: Be' – a ma' nhw'n mynd i dy gofio **di**?

RHI: Pwy?

DEIO: Dy blant di? Dwn i'm yn Duw...

RHI: Gnan, gobeithio!

MAGS: *(DI-FEDDWL)*
Fedran nhw ddim hyd yn oed ddeud dy enw di'n iawn!
(EDIFARHAU YN SYTH) Sori..!

DEIO: W! Miaw!

MAGS: Sori, Rhi!

RHI: *(SYLLU'N HIR)*
Wyt, mi wyt ti.

MAGS: Sori! 'Rhaid bod hi'n anodd ar y naw, magu 'ffwr'.

DEIO: Be' wyddost ti, a chditha wedi byw dy oes yn dy 'dopia' gogoneddus!

MAGS: Ma' nhw'n gredit i ti 'run fath yn union, Rhi.
Yn enwedig Joshua bach...!

RHI: *(YMGOLLI)*
Mae o'n 'star'!

MAGS: Clyfar! Digon yn 'i ben o! A'r 'Joshua' cynta' 'r ochra' yma dwi'm yn ama'....?

DEIO: Anffodus ydi peth felly, nid clyfar.

DAW'R UCHOD AG EF I SYLW HEN DDESG YR ATHRO.

DEIO: 'Beryg 'sa'r hen Miss Wilias yn dychryn am 'i bywyd.
(A'N SYNFYFYRIOL, GAN DYNNU LLAW HOFFUS AR HYD Y DDESG)
Bledd.......Alun......Defi.....Maldwyn....

MAGS: *(HEB SENSITIFRWYDD)*
Dewi...!

DEIO: Harri....Heulwen...

RHI: *(YR UN CYWAIR A DEIO)*
Greta...

MAGS: Rita!

DEIO: *(EI LYGAID YN PEFRIO)*
Em!

RHI: *(ATGOF MELYS)*
Em.

MAGS YN PIFFIAN CHWERTHIN YN BLENTYNNAIDD GYFRINACHOL.

DEIO: Be' sy' harut ti'r gloman?

RHI: Greta.....Rita.....(A SAWRU ETO) Em.
(OND RWAN, COFIO YN ANOS)
Guto....Edwin?

MAGS: Edgar!

DEIO: Morris!

RHI: Owi!

DEIO: Josh – u – a.

RHI YN TYNNU WYNEB, DEIO'N CHWERTHIN. YNA AGOR EI RUCKSACK AC ESTYN POTEL WISGI OHONO; BRON YN LLAWN, O FEWN MODFEDD I'R TOP. EI GWELD YN BRAWYCHU MAGS.

MAGS: Be'di honna sgin ti!

DEIO: Potal sôs. *(YNA DYRNU DRWS ESTYLLOG Y GEGIN)*
Ydi cinio'n barod, Gwyneth...!

MAGS: Chei di ddim dŵad a photal i fa'ma!

DEIO: 'Ngwenwyno **i** mae o, neb arall.

MAGS: Rhi! Dŵad rwbath wrtho fo..!

RHI: *(WRTH DEIO; SIOMEDIG)*
Ers pryd?

MAGS: 'Chei di ddim dŵad a diod i fa'ma, Deio!

DEIO: Pam na cha'i; pwy sy' ddeud; plysman wyt ti mwya' sydyn? Neu ddoctor..!

MAGS: Rhi, dwad wrtho fo! Mi ddifethith y noson i bawb efo'i giamocs!

DEIO: 'Difetha hi i chdi, 'ti'n feddwl!

MAGS: Rho hi i mi, plîs..

DEIO: Embaras, o flaen dy ffrindia posh di...

MAGS: Pa ffrindia?

DEIO: Mi fyddan yma debyg?

MAGS: Ma'r cwarfod yn gorad i bawb.

DEIO: *(GAN DDADSGRIWIO Y BOTEL)* Dyna pam 'dw'i yma yli. Cheers!

MAGS: Ty'd â honna i mi!

MAGS YN CEISIO CIPIO'R BOTEL ODDI ARNO. DEIO'N TROI TU MIN.

DEIO: Paid! Ffwcia'i o'ma! Gad lonydd i mi!

MAGS: Rhi...!?

RHI: 'D wyt ti'm mymryn haws.

DEIO: Cymwch joch bach y'ch dwy! Dowch!
Ty'laen, Mags, 'chill-out' fel bydda nhw'n 'i ddeud dyddia yma.
Os ydyn nhw'n 'i ddeud o hefyd.
Wrach 'mod i ar ' hôl hi...

MAGS: Wedi 'cholli' hi, wyt.

RHI: 'D wyt ti ond yn gneud petha'n waeth, Mags.

DEIO: *(CYNNIG Y BOTEL)*
Ty'd, Rhi – 'lawr y corn clag â fo. Lot haws yn y pen draw, cred ti
fi!

RHI: Na be' Deio? Paid â mwydro.

DEIO: Bob dim, bron. Haws nag.......aros i dy blant dy siomi di?
Gorfadd yn dy biso, yn aros i ryw hen Sais dy fwydo di!
Strôc.
Peidiwch â meddwl ma' fel arall y bydd hi!

MAGS: Nid pawb sy'n yr un cwch, Deio..!

DEIO: O! A be' ddigwyddith i chdi felly?
Fyddi di'n....be'....golchi llestri yn ddel un funud, neu hulio bwyd
– ac yn sydyn, mi fyddi'n cael dy godi fel angel bach – **gan**
angylion, be' sy' haru fi! – o dy ddedwydd dŷ yr holl ffordd i'r
nefoedd?

MAGS: 'Ti'n rwdlan ar ôl ond un diferyn.

DEIO: *(O DDIFRI)*
Ydw'i? Finna'n meddwl 'mod i'n siarad yn gall am unwaith.

DEIO'N CILIO I'R PORTH; EISTEDD YN WYNEBU'R DRWS; LLYMEITIAN O'R BOTEL WISGI YN YSBEIDIOL.

MAGS: Ia, dos! Dos i stelcian i'r cefna; g'na dy hun yn gartrefol!

NI CHYMER DEIO Y SYLW LLEIAF OHONI.

MAGS: 'Ti'n pasa rhoi stop arno fo, ta 'dwyt ti ddim?

RHI: Mi roddodd 'gora i wrando arna' i flynyddoedd yn ôl.

MAGS: *(GYHUDDGAR)*
Dy le di ydi gneud, Rhi!

RHI: Sut hynny?

MAGS: Wyddat ti ta? Wyddat ti fod o fel hyn; yn ôl, fel'ma?

RHI: Yn 'i galon, dydi'o rioed wedi peidio a bod.

MAGS: Dy le di ydi morol. Pwy arall 'neith os na wnei di?

RHI: Fel byddi di'n gneud, Mags?

MAGS: Ia; ydw; byswn, tasa fo'n 'deulu'.
Toes gyno fo neb arall (DEIO), dyna'r oll 'dw i'n drio ddeud!

RHI: Ac ers pryd wyt ti'n malio! 'Drycha di ar 'i ol o ta, os wyt ti mor awyddus! *(SEIBIO)* 'Dw'i 'di gneud hynny fedra' i.

MAGS: A finna! Mi wnes inna'......pan adawodd Em.
Mi....helpis i Em! Rois....fenthyg pres iddo fo a phob dim.
Roid o iddo fo i'w gadw!

RHI: Edgar roth, debyg.

MAGS: Mi a'th yn 'i flaen!

RHI: Ddoth o ddim yn 'i ol. Dyna oedd y gamp.

MAGS: 'Nath lwyddiant mawr ohoni!

RHI: Be' – wyt ti'n credu ma' pledu pres i gyfeiriad Deio ydi'r ateb?
'Gostiodd ffortiwn i mi fel mai!
(YSBEIDIO I FEDDWL)
Falch o weld cefn y lle, ddyliwn. Dy 'Em' di...

MAGS: *(AMDDIFFYNNOL)*
Dewis mynd ddaru o, Rhi!

RHI: Wnes i'm gofyn.

MAGS: Mynd o'i wirfodd ddaru Em!

RHI: *(CHWAREUS)*
'Toedd o'm isio mynd? Iawn, os wyt ti'n deud.

MAGS: Dyna ddigwyddodd!

RHI: *(LLED-CHWERTHIN YN EIRONIG)*
Fel Ellis Cipar...!

MAGS: Be' amdano fo...?

RHI: Mynd 'o'i wirfodd' ddaru fynta – cofio?
Munud cafon nhw hyd i Gwilym Wern yn gelain ar wely'r Edno.
Cofio, Mags?

MAGS: Pwy fedra **ang**hofio peth felly?

RHI: Mi fysan wedi hannar 'i ladd o tasan nhw wedi cael gafael arno fo'r
noson honno!

MAGS: *(DDIGON BALCH)*
Edgar oedd ar flaen y gad!
(YSBEIDIO I GYSIDRO)
Be' 'ti'n feddwl rŵan? Am dy frawd **di** oeddan ni'n sôn!
(GAN LED-GYFEIRIO AT DEIO YN Y PORTH)

RHI: Nid dy frawd **di**......yn gadael ar frys, gefn drymedd nos?

MAGS: *(GYHUDDGAR)*
Gadael wnest titha!

RHI: I briodi Tim, os cofia'i 'n iawn. Gefn dydd gola'.
(OCHNEIDIO'N DDIFLAS) Sôn oeddwn i am Em yn gadael ar
frys, nid 'i gyhuddo fo o ddim!

MAGS: Mi adewist Stevenage wedyn, i ddŵad yn dy ôl!

RHI: Helion nhw mo'na'i o'no, Mags!

MAGS: Nesa peth!
     (RHI YN SYLLU)
     Nesa peth, Rhi!
     (RHI YN DAL I SYLLU)
     Pan a'th yr hwch drw' siop!

DEIO: A chenfaint o foch i'w cha'lyn hi!

MAGS: Dyna ddigwyddodd, waeth it heb a sbio arna'i fel'na!

RHI: *(CYSIDRO ENNYD CYN PENDERFYNU)*
     Dydi'm rhaid i mi sbio a'n't ti o gwbwl.

YN BWRPASOL, RHI YN GWNEUD OSGO I ADAEL.

MAGS: Be' 'ti'n 'neud; lle 'ti'n mynd?

RHI: Lle feddyli di 'dw i'n mynd?

MAGS: Na, 'rhosa! Plis, 'rhosa. Ydi'm ots gin ti be' ddigwyddith i'r hen le?

RHI: **Ma'** ots gin i am yr hen le. Pobol 'di drwg.

MAGS: Pobol achubith o!

RHI: Dy bobol di..?

MAGS: *(CYMODOL)*
'Rhosa, Rhi. Plîs. Wrach bydd 'na sypreis bach i ni gyd cyn 'r a'n ni o'ma!

DEIO: Paid â malu cachu! Ddaw hi ddim siŵr!

MAGS: Pwy!?

DEIO: Miss Wilias!

MAGS: Nid y hi!

DEIO: Huran wirion!

RHI: Gad llonydd iddi! (YNA WRTH MAGS) Pwy, Mags?

CNOC PUR AWDURDODOL AR Y DRWS.

DEIO: Ffwcin Nora! Ar y gair...

*DRWS YN AGOR, **MEL** YN YMDDANGOS. MAE'N CLUDO DWY FFEIL GO SWMPUS O DAN EI BRAICH.*

MEL: Noswaith dda, pawb!

DEIO: *(MOESYMGRYMU YN ISEL ISEL)*
Ma'm!!

A HEIBIO I DEIO FEL TASA FO DDIM YNO.

DEIO: Paid ta'r ast.

MEL: Noswaith ddychrynllyd!

MAGS: O, Mel! Diolch i chi am droi allan!

MEL: (BWRW YMLAEN)
Mae'n beryg i'r afon godi ar y ffordd...!

RHI: Wir? 'Ddylan ni ddim rhoi'r ffidl yn y to ta, a'i hel hi am adra?

DEIO: Neu drwsio un o rhein. Be' amdani?

SEF Y DDAU GANW TYLLOG. ANWYBYDDIR EI SYLWADAU GAN MEL.

MEL: Popeth yn iawn, Mags?

MAGS: Rhi – mi wyt ti'n nabod Melanie, 'n'd wyt...?

MEL: 'Rydym yn gymdogion!

MAGS: *(ANESMWYTHO MYMRYN)*
Wel......ydach!

RHI YN NODIO, DYNA'R OLL.

DEIO: Be' amdani – 'lawr 'r afon fel Indians, i'r diawl!
Last of the Mohicans!

MEL: (WRTH MAGS)
Popeth yn iawn...?

YN YSTOD YR UCHOD, MEL YN BRYSUR DYNNU EI CHÔT, GOSOD EI FFEILIAU AR Y BWRDD, AC ATI.

MEL: Gest ti afael ar Nick Pilcher...?

MAGS: Peiriant ateb.
A CHYN I MEL FEDRU GOFYN:
'Do'n i'm yn lecio gadael negas, rywsud!

MEL: Major and Mrs. Green...?

MAGS: Y....na. Anghofis i!

MEL: Clare and Rob Ludlum! 'Roeddyn' nhw'n dangos diddordeb mawr pan soniais..

MAGS: Naddo. Ches i'm amsar. 'Ddrwg gin i.

RHI: 'Meddwl ma' chdi oedd yn trefnu hyn...?

MEL: Wrth gwrs! 'Rwy'n rhoi cymorth, dyna'r cyfan...

DEIO: Yn 'gefn' i ni gyd, chwara teg iddi.

MEL: *(CYFARCH)*
Deio! Beth ddigwyddodd wythnos diwethaf? Dydd Mawrth..?

DEIO: Ciniawa efo'r rheolwr banc, cofiwch!
A'th yn hwyr; yn frandi a sigârs cyn medrach chi ddeud 'tren bach yr Wyddfa'! Dyna lle'r oeddan ni, 'deud gwir: ar gopa'r Wyddfa yn cloriannu'r etifeddiaeth. Hynny ohoni sy'n weddill...

RHI: Taw, er mwyn y Tad!

DEIO: Wel ia! Er mwyn y 'tad' – dychanol iawn.
Doniol, tasa fo ddim mor gythreulig o drist.
'Ein tad, yr hwn wyt yn y gorlan fawr yn yr awyr, diolch am werthu'r ornaments gora i gyd!'

MAGS: *(HWYLIOG)*
Cellwair mae o, Mel!

DEIO: Ol ia debyg! 'Sa fiw difrifoli gormod ar gownt treiffl fel etifeddiaeth.

MEL: Dim ots! Wedi gofyn i Mark Drake. Job done!

DEIO: Mark Drake? Codi wal? Codi dol tua Moss Side 'na wrach....!
Mi gwelodd o chi'n dwad..

MEL: Fi yn ei weld o, Deio. Y fo yn gwneud y gwaith.

MAGS: Isio titha' godi yn y bora sy'! Ynte, Rhi?
Siawns medrat ti, tasa ti'n yfad llai!

DEIO'N SYLLU'N HYLL AR MAGS. YN Y CYFAMSER, MEL YN EDRYCH O'I CHWMPAS.

MEL: Llawer o waith. Ond llawn potential.....

DEIO'N DAL I RYTHU AR MAGS, SY'N YMWYBODOL AC YN ANESMWYTHO.

DEIO: Sud leciat ti swadan ar dy gorun efo gwaelod potal?

MAGS: Paid ti â mygwth i!

DEIO: Paid ti â stwffio dy hen fys i fywyda' pobol heb wahoddiad ta! 'Gotsan dew!

RHI: Deio!!

A MAGS YN DDAGREUOL BLENTYNNAIDD YN SYTH.

MAGS: Mi dduda'i wrth Edgar! Mi hannar lladdith o chdi pan geith o afael a'n't ti!

DEIO: *(DYNWARED YN BLENTYNNAIDD)*
'Mi dduda'i wrth Edgar!' 'Mi dduda'i wrth Edgar!'
G'na ta, mi leinia'i hwnnw 'fyd!

RHI: Leinio merchaid ydi'r oll fedri di 'neud dyddia yma, Deio?
Dewr! Fedrat ti'm leinio chwanan yn ôl dy olwg di, heb sôn am
ddim a rall....

DEIO: Wyt titha flys...!

GAN GODI'R BOTEL WISGI YN FYGYTHIOL.
YN YSTOD YR UCHOD, MEL YN DYST GWRTHRYCHOL I'R CECRU
YMYSG Y BRODORION.

MEL: Rho'r botel i mi, Deio.

DEIO: Ewch i grafu!

MEL: Rho'r botel i mi, i gadw.

DEIO: Dim ffiars 'gwnai.

OND MAE'N CILIO SERCH HYNNY, I BWYSO YN ERBYN DRWS Y GEGIN. MAE'N AGOR Y BOTEL A CHYMERYD LLYMAID OHONI. MEL YN YSGWYD EI PHEN MEWN ANOBAITH.

MAGS: Ddechreuwn ni ta, ia! Ddechreuwn ni?
     Ga'i alw'r cwarfod i drefn, os gwelwch yn dda!

MAGS YN LLAWN FFWDAN, YN SYMUD AC AGOR Y FFEILIAU SYDD GANDDI. NEILLTUA'R SEDD ORAU – YN Y TOP, NEU'R CANOL – IDDI HI EI HUN. RHI YN YMLWYBRO TUAG AT DEIO.

RHI: Ty'd yn d'laen. 'Fedri fyw hebddo fo am noson, siawns.

DEIO: 'Cofio.........Miss Wilias yn bygwth 'r un peth yn union.

RHI: Cymryd potal wisgi oddi a'n't ti...?

DEIO: Chwyddwydr. Ac nid bygwth yn unig chwaith!
     'Ces i o'n bresant am agor ciat i 'when fisitor.
     Doedd o fawr o beth; rybish oedd o, 'chydig geinioga' yn 'ffair.
     Ond 'roedd o'n drysor i mi.

RHI: Ma' gin i ryw go'.

DEIO: 'Daliodd fi hefo fo a'i gymryd o oddi arna'i. Ac wsti be' ddaru hi efo fo? 'Daflu fo i'r lôn bost! Mi a'th lori Wilw drosto fo a'i falu o'n racs. Hen gotsan oedd honno'n medru bod 'fyd.

117

RHI: Lori Wilw?

CYD-WENU LLED-HOFFUS.
MAGS YN MÂN SYMUD CADEIRIAU HEB ISIO; GWNEUD MÔR O
DDIM.

MAGS: Ga'i y'ch sylw chi gyd, os gwelwch yn dda...!

YN Y CYFAMSER, YN GWBL **DDI**-FFWDAN, MEL WEDI SYMUD
FFEILIAU MAGS I'R SAFLE NESAF AC WEDI EISTEDD YN Y SEDD
DDARU MAGS NEILLTUO IDDI HI EI HUN.

MAGS: O! Dyna fo, 'stedda i yn fa'ma ta.

MAGS YN BODLONI AR EISTEDD NESA AT MEL. RHI FYMRYN AR
WAHÂN, DEIO AR GYRION Y GWEITHGAREDDAU.

MAGS: Ddechreuwn ni, ia? *(YNA EDRYCH YN LLED-BETRUSGAR I*
GYFEIRIAD Y DRWS)
Ta 'sa well i ni aros mymryn eto...?

MEL: Bydd neb arall yn dod, 'rwy'n siŵr. Beth am ddechrau?

DEIO: Ia, reit sydyn, i ni gael mynd o'ma.

MAGS: Reiti-ho! Wel – ga'i yn gynta' groesawu un ac oll i'r cwarfod;
diolch i chi am ddŵad..! Neis y'ch gweld chi gyd!
Rŵan, dydw'i ddim yn or- gyfarwydd a'r math yma o beth – tasa
ots! Rhywsud, drw'n gilydd 'dw i'n siŵr 'down ni i ben â hi!
(SEIBIO YN FWRIADOL)
Mi wyddoch dw i'n siŵr be' ydi pwrpas hyn o gwarfod heno: yr
hen ysgol! Yr hen ysgol. Wel..! Be' fedra'i ddeud amdani..?

DEIO: Ma'r to yn gollwng, ma'r lloria'n pydru ac ma' hi'n berwi o lygod mawr - ac mi fyddwn ni gyd wedi dal dwbwl ffwcin niwmonia os na frysi di!!

MAGS: 'Home from home' i chdi ta, ers iti gael dy hel o'r bynglo!

RHI: *(FFYRNIG)*
Chafodd o mo'i hel!

DEIO: Naddo, chwaith...?

MAGS: *(A'N DDAGREUOL)*
Dest....rho gora iddi! Os wyt ti'n mynd i......yn mynd i sbeitio, ac i neud lle annifyr, 'dw i'n......'dw i'n...

DEIO: Be' – mynd adra at Edgar i achwyn? Arclwy, dyna'r oll ti'n dda 'di mynd!

RHI: Caria'n dy flaen, Mags. *(AC WRTH DEIO)* Bydd ditha ddistaw.

PAWB YN YMDAWELU. MAGS YN SADIO.

MAGS: Yr hen ysgol. 'Gwilydd i'w gweld 'dw i'n siŵr y'n bod ni'n unfryd unfarn. Ond be' i 'neud yn 'i chylch hi sy'n fatar arall.

DEIO: Ffurfio pwyllgor yn ddechra da fel rheol.

RHI: 'S gyno ni gworym? 'Fyddwn ni angen hynny heno?

MAGS: 'S gyno ni....? *(DDIM SYNIAD BETH YW EI YSTYR)*

RHI: Cworym.

MEL: Dim rhaid cael quorum nes mae'r pwyllgor yn ei le.
Ffurfio pwyllgor yw'r flaenoriaeth.

RHI: Dudwch chi.

MAGS: Be'di....*(CWORYM)*...?

MEL: Ond hwyrach y dylem gael trafodaeth gyffredinol am yr ysgol yn
gyntaf?
Safbwyntiau; syniadau; cynigion....

MAGS: O, ia! Wn i rŵan....(ŴYR HI DDIM)

MEL: Beth am sgwrsio gyda'n gilydd, a gweld beth yw'r farn ar ddiwedd
y dydd?

DEIO: All for it.

*YN DDIYMDRECH BRON, LLWYDDODD MEL I GYMERYD YR AWENAU
ODDI WRTH MAGS. MAGS YN YMWYBODOL, AC YN 'TEIMLO', OND
YN DEWIS CADW'N DAWEL, A CHYSURO EI HUN TRWY FFIDLAN YN
DDIANGEN GYDA'I PHAPURAU, A SMALIO BOD YN BRYSUR. RHI
HEFYD YN YMWYBODOL I'R NEWID GYMERYD LLE. NI SYLWODD
DEIO O GWBL.*

MEL: Beth am safbwyntiau....?

MAGS: Wrach...!..'sa well aros am funud. Rhag ofn.

120

DEIO: Be' rŵan eto....?

MAGS: *(GAN EDRYCH TUA'R DRWS)*
Nes 'bydd pawb 'di cyrra'dd

RHI: Pwy arall ddaw!

MEL: Mae'r drafodaeth wedi dechrau, Mags..

MAGS: (DAER)
Fedrwn ni ddim dechra' nes ma' pawb 'di cyrra'dd!

DEIO: Ol..! 'Chdi dy hun roddodd dro yn yr injian, gynna' ddwytha!
(WRTH MEL) 'Wedi mwydro'i phen efo Miss Wilias. Hi fydda'n
'yn dysgu ni gyd.
(LLED SYNFYFYRIOL) Hi gnath ni be' ydan ni.
Hogia bach, tasa hi ond yn 'yn gweld ni rŵan!

MAGS: Naboda hi mo'nat ti siŵr!

DEIO: Pam 'i gwadd hi ta! Gloman...

MAGS: Nid...!...Miss Wilias yn gymaint. O, hitiwch befo..!
Ewch yn 'ych blaen, Mel.

MEL: Rwy'n fodlon disgwyl, os mynni di...?

MAGS YN YSGWYD EI PHEN.

MEL: O'r gorau! Safbwyntiau...

CNOC HYDERUS AR Y DRWS. PAWB YN FFERU. RHY MAGS WICH O FODDHAD, A NEIDIO AR EI THRAED A RHEDEG I AGOR.

DEIO: Arclwy, 'dydi rioed wedi mentro o ddifri?

MAGS YN AGOR Y DRWS. GWICH ARALL O FODDHAD.

MAGS: Ty'd i mewn! Ty'd i mewn!

ESTYN EI LLAW, A THYNNU Y SAWL SYDD YNO I MEWN.

MAGS: Ylwch pwy sy' 'ma!Ylwch pwy sy' 'ma!

EM *DDAETH I MEWN, YN WÊN O GLUST I GLUST.*

MAGS: 'Ddudis i bydda 'na sypreis i chi 'n do!!

DEIO: Em..?

PRESENOLDEB EM YN GADAEL DEIO A RHI YN LLYTHRENNOL GEGAGORED.

DEIO: Blydi hel! O lle doth hwn...?

MAGS: *(WRTH MEL)*
        'Mrawd o Lundan! Em, 'y mrawd!

DEIO: Y basdyn!

EM YN CAMU YMLAEN GAN YMESTYN EI FREICHIAU.

DEIO: Sud wyt ti'r cwd hyll!

COFLEIDIO, AC WEDYN DAL GAFAEL YM MREICHIAU EI GILYDD.

DEIO: *(WRTH MAGS)*
Pam na fasat ti wedi deud yn gynt!

MAGS: Sypreis! 'Ddudis i'n 'do!

DEIO: Ol sud wyt ti ta!

EM: Grêt! Champion!

CYD-CHWERTHIN. COFLEIDIO ETO.

DEIO: Yr hen fêt! Yr hen oppo! (WRTH MEL) 'Depiwti' gora ges i rioed!

EM: 'Dda dy weld ti, Deio! Faint sy' dwad..?

RHI: Ugian mlynadd. O leia'...

EM A DEIO'N DATGYSYLLTU. EM YN CYSIDRO RHI YN IAWN.

EM: Rhi...

RHI: 'Ti 'di bod yn ddiarth, Em.

DEIO: Be'di'r ots, mae o yma rŵan 'tydi!

RHI: *(BRAIDD YN BIGOG)*
Mi oddat ti ar fai, yn cadw peth fel'ma i chdi dy hun, Mags.
Yli'r olwg s'arna'i! Rel jipsan.

EM: *(HOFFUS)*
Fel 'dw i'n dy gofio di.

DEIO: Paid a malu cachu! Mi 'dan ni gyd wedi mynd yn hen yn disgw'l
amdanat ti!

PAWB, ODDIGERTH MEL, YN CHWERTHIN.

RHI: Pawb ond y chdi. 'Bywyd wedi bod yn ffeind yn ôl dy olwg di.

*AC YN WIR, MAE'R CYFERBYNIAD RHWNG EM A'R GWEDDILL YN
BUR AMLWG: DILLAD FFASIYNOL; GWALLT TRENDI: DELWEDD
WARAIDD, DDINESIG AR Y CYFAN.*

EM: Sud wyt ti, Rhi!

*CAMU YMLAEN I'W CHYFARCH YN FFURFIOL. RHI YN LLED-ESTYN
EI LLAW, OND EM YN EI DIYSTYRU A'I SWSIO'N YSGAFN AR Y DDWY
FOCH.*

RHI: Fel gweli di fi.

EM: Clywed dy fod ti'n rhedeg ysgol farchogaeth dyddia' yma..!

MAGS: *(DDI-FALAIS)*
Merlod bach rownd cae i fisitors! 'De, Rhi?

DEIO: 'Ride him, cowboy...!'

EM: Yn Hafod Owen, Rhi?

DEIO: *(DECHRAU CANU)*
'If you think I would leave you dying...!'
'TWO LITTLE BOYS' (ROLF HARRIES, 1969)

EM YN YMUNO. RHI A MAGS YN MWYNHAU.

DEIO/EM: 'When there's room on my horse for two...!'

DEIO: *(WRTH MEL)*
'Depiwti' gora ges i rioed!

MEL: Really. *(NODIO AR EM; EITHAF CHWILFRYDIG)* Hi!

MAGS: O, God! Sori! Sori, Mel...! *(CYFLWYNO)* Melanie North – ond
'Mel' ma' pawb yn ddeud – Em, 'y mrawd. Emrys! Er, sneb yn
deud Emrys ers i mam farw!

EM: Hi!

MEL AC EM YN YSGWYD LLAW.

MAGS: Pardnar mewn siop lyfra' yn Llundan!

MEL: *(DIDDORDEB)*
O? Artist wyf i....

DEIO: *(HWYLIOG)*
Pledu lliwia' at ddarn o gynfas a chodi crocbris amdano fo!

MEL: Yn ble yn Llundain...?

EM: Mi symudon ni. Rhai blynyddoedd yn ol.

RHI: Wyt ti wedi bod adra o'r blaen........heb yn wybod i neb?
Mags 'ma wedi bod yn dy gadw di iddi hi 'hun!

ERBYN HYN, EM YN CYSIDRO Y LLEOLIAD.

EM: 'Doeddwn i ddim yn sylweddoli fod petha' cynddrwg!

MEL: Bydd pethau'n gwaethygu os na fyddwn yn gweithredu...

EM: *(HYDERUS HWYLIOG)*
Dyna be' 'dw i'n dda 'ma!

RHI: Be' 'ti'n basa 'neud felly?

DEIO: Gesi di byth pwy feddylion ni oedd wrth y drws pan gnocist ti..!

MAGS: O, ia!

DEIO: Paid â deud! Paid â deud......Gesia!

EM: Un o'r hogia'...?

DEIO: Gesia eto! *(WRTH MEL)* 'Depiwti' gora ges i rioed, dalltwch!

EM: *(FEL COWBOI)*
Ofyr hiyr, Jec..!

DEIO: 'Lein i oedd honna! 'Fi oedd 'Sheriff', cofio?

MAGS: Dyddia' difyr!

DEIO: *(ISIO IDDO FO GOFIO; ISIO'I BAWB GOFIO)*
'Fi oedd 'Sheriff'! 'De genod? 'Cofio, Em?

RHI: Bob tro.

EM: Ddy côs us cliyr, Wyl..!

DEIO: Go ffor iwyr gyns, cowpoc!

Y DDAU YN SGWARIO; WYNEBU EI GILYDD FEL DAU GOWBOI. EM YN ESTYN AM EI 'WN' A 'SAETHU' DEIO.

DEIO: Hei – do'n i ddim yn barod!

MEL: Ydi'n well dechrau nawr..?

DEIO: 'Ti'n cofio...!...mynd i gampio 'tro hwnnw?
Ar lethra' Foel Bach. 'Cofio, Em!

EM: *(GWEN FACH EIRONIG)*
'Campio'. Pan oedd y byd yn fawr. Ydw.

DEIO: *(WRTH MEL)*
Dyna 'chi sbort! Ganmil gwell na'ch 'Famous Five' a'ch 'Secret Seven' chi!

WYNEB MAGS YN SIMSANU. 'DOEDD O DDIM CYMAINT O SBORT IDDI HI.

MAGS: Es adra at mam.

DEIO: 'Chdi, do! Babi!

EMS: 'Hwyl 'r un fath, 'doedd Mags?

DEIO: Babi mam!

RHI: 'Cofio mynd yn y'n blaena' am Fwlch Batal, Em?
Am swae i ogof Gwenllian. Jyst ni'n dau...

DEIO: *(GWGU)*
Cachwrs! *(TROI AT MEL)* 'Ngada'l i yn y dent ar 'y mhen fy hun!

RHI: 'Cofio, Em...?

EM: Brith gof.

RHI: 'Dw i'n cofio.

DEIO: Cachwrs!

YSBAID.

EM: Pwy oeddach chi'n ddisgw'l weld...!.....pan gnocis i gynna'..

DEIO: Gesi di byth, met...!

MAGS: Miss Wilias!

DEIO: 'O'n i isio iddo fo gesio, Mags!

MAGS: Miss Wilias, Sgŵl! Mi gafodd wadd...

EM: Wir? Ydi'n dal yn fyw?

DEIO: Mi 'sa'i draw fel siot tasa hi ar ddallt dy fod **ti** yma.
           A'r hen fag cachu i'w chanlyn!

RHI/MAGS: Deio!/Rho gora iddi!

OND EM YN LLED-WENU.

DEIO: 'Dw'i ond yn deud y gwir! Dipyn o ffefryn, 'doddat boi?
           Er, ma' ddowt gin i os ydi'r blwmars gwyn neis 'na welist ti
           unwaith yn rhyw wyn iawn dyddia' yma. Debycach i liw 'i
           dannadd hi, beryg...

MAGS: Nefi blw..!

DEIO: Naci, lliw 'i dannadd hi, Mags!

*EM A DEIO'N CYD-CHWERTHIN. RHI HEFYD YN LLED-WENU. EM
YN DIFRIFOLI.*

EM: Graduras.

RHI: 'Rhaid 'ti esgusodi Deio – mae o wedi troi'n anifail ers i ti weld o ddwytha...

DEIO: Yn fochyn! Soch, soch!

EM YN GORFFWYS LLAW HOFFUS AR EI YSGWYDD.

EM: Dim peryg! Ffarmwr gora'r ardal. Hen deip.

MAGS YN FFROENOCHI YN SWNLLYD.

EM: Be' sy' harut ti? A fynta'n berchen ar y ranch fwya' yn y cyffunia'. **Cyd**-berchen! Ddrwg gin i, Rhi. (ACEN COWBOI) 'As far as the eye can see, partner...!'

DEIO'N GWTHIO LLAW EM I FFWRDD BRAIDD YN DDIAMYNEDD.

DEIO: Paid.

MAGS: Gwerthu becyn mae o!

EM: Sud, Mags..?

MAGS: Dyna mae o'n 'neud...*(DEIO)*

EM: Gwerthu....?

DEIO: Soch, soch! Bêcyn gora Eryri! Bylc, o Gaer. 'Dy'n nhw'm callach ffor'ma. 'Ffycars dwl. Wps!. Sori. *(RHEG)* Diolchwch bo chi'n 'vegi'! *(WRTH MEL)*

EM: *(HWYLIOG)*
Dyna 'dw inna' ers blynyddoedd..!

DEIO: *(HWYLIOG)*
Ôl y bansan! Dim rhyfadd bod ffarmwrs yn digalonni, ac yn prynu gwenwyn llygod mawr wrth y dunnall!

DEIO AC EM YN CYD-CHWERTHIN.

EM: Paid â phoeni – ma' gin i ddigon o ffrindia' brynith gin ti. 'Da'i ddim o'ma'n waglaw.

MAGS: Ydi Marcus yn gigwr?

EM: Lle ma' dy outlet di?

MAGS: Cefn Lan Drofyr!

DEIO'N RHYTHU ARNI. MAGS YN TROI'N REIT HEFREIDDIOL.

MAGS: 'Dw i'n iawn, tydw!

RHI: *(WRTH EM)*
Wrth 'i bodd yn cael deud.

MAGS: Y gwir plaen, Rhi!

RHI: Mi fydd y gwir plaen wedi cymryd gafal yn dy gorn clag di un o'r diwrnodia nesa 'ma, a dy dagu di'n fyw.

DIGON O FIN YN LLAIS RHI I WNEUD I BAWB ANESMWYTHO.

DEIO: Duw, Duw – be' 'di'r ots....

MEL: Beth am ddechrau?

EM: *(WRTH RHI)*
Dim ond y chdi sy'n Hafod Owen rŵan ta?

RHI: Soniodd Mags ddim? Be' welodd hi!
(YSBEIDIO)
'Byw mewn bynglô, efo mam a'r plant.
'Hafod Owen wedi'i hen werthu.

HYN YN SYNDOD GWIRIONEDDOL I EM. TRY I SYLLU AR MAGS, BRON YN GYHUDDGAR.

MAGS: Dydi'm yn weddus deud pob dim tros y ffôn.

EM: *(WRTH DEIO)*
Lle wyt ti ta?

DEIO: Carafan. Neis. Clyd. 'Fanny-magnet'. Yn enwedig yn 'r ha'.

MEL YN CUDDIO GWEN SBEITLYD; MAGS YN YSGWYD EI PHEN YN DOSTURIOL; RHI YN LLED-WENU.

EM: Pwy brynodd Hafod Owen?

DEIO: Dyn tacs!
(A CHWERTHIN YN AFREOLUS)

MAGS: *(AMDDIFFYNOL)*
Mel sy'n byw 'no rŵan! Wedi ail-neud y lle, ddela welsoch chi .
rioed. 'N do, Rhi?

RHI: Mae o'n ddigon o ryfeddod.

MEL: *(WRTH EM)*
Croeso i ti alw rywbryd.

DEIO: *(ARWYDDOCAOL)*
Croeso tywysogaidd!

EM: Ydach chi'n ffarmio hefyd?

MEL: Byw yn y farmhouse. Y tir 'to let'.

EM: O!

MEL: Yn ble mae siop yn Llundain...?

DEIO: Mae siop yn bobman yn Llundain!

MEL: 'R wy'n siarad gyda'r gwestai, Deio..!

DEIO'N CHWERTHIN.

MEL: 'R wy'n ymweld a Llundain yn gyson. Mwynhau mynd i siopau
llyfrau! Ble mae dy siop di?

EM: Notting Hill oedd hi. Mi symudon ni.

MAGS: I siop lai! 'De, Em?

EM: 'Rhan fwya'n cael 'i 'neud ar y cyfrifiadur erbyn hyn.
         Yr oes dechnolegol sydd ohoni!

MAGS: Gafoch chi warad y siop newydd ta...? *(WRTH MEL)* Marcus a'th
         yn wael cofiwch.

DEIO: Pwy 'di'r Marcus 'ma, pan mae o allan?

MAGS: Pardnar!

DEIO: 'Depiwti'!

MAGS: *(WRTH MEL)*
         'Business partner'. Mae o wedi gwella erbyn hyn. 'Dydi, Em?

EM: *(HWYLIOG)*
         Cym di ofal, Mags, cyn i ti ddatgelu cynnwys fy 'wyllys i iddyn'
         nhw tra 'ti wrthi!

DEIO: Paid ag anghofio dy fêts!

RHI: *(CHWAREUS)*
         Ffortiwn i'w gadael i rywun, **dwi'n** siŵr.

MAGS: Cronfa Achub yr Ysgol!

MEL: Syniad gwych iawn, Mags!

EM: Ydach chi wedi sefydlu un yn barod?

RHI: *('YSGAFN')*
        Cronfa Achub yr Ysgol Farchogaeth...!

DEIO: Cronfa Achub Deio! Pensiwn hael weddill fy oes, plîs!

EM: Cronfa achub.......plant bach sy' ddim yn iawn.

DEIO: Tryst y chdi i godi c'wilydd arno ni gyd!

EM: Rhywun fel.....Gareth Tŷ Isa' dlawd. Er, rhy hwyr iddo fo, rŵan. Ar ddallt 'i fod o wedi'n gadael ni?

MEL: Marw pedwar mis yn ol.

DEIO, MAGS A RHI YN ANESMWYTHO. AWGRYM BACH FOD EM YN MWYNHAU HYN.

MAGS: Nid plentyn oedd **o!**

DEIO: Llabwst mawr trwsgwl!

RHI: Dyn, yn 'i oed a'i amsar!

EM: Plentyn hen.

MEL: 'R oedd yn berson hoff.

EM: Oeddach chi'n 'i nabod o...!

MEL: Mi wnes baentio ei lun unwaith!

DEIO: Sud ddiawl gafoch chi'o i sefyll yn llonydd, dyn a ŵyr!

EM: Ia, siŵr! 'Mynd' fydda'i betha' fo.

MAGS: Cnonyn!

EM: Wyt ti'n 'i gofio fo'n denig i Goed yr Eryr, 'tro hwnnw?
Drw' giât 'r ysgol ac ar 'i ben i'r lôn bost; 'chditha'n 'i annog o o
dop yr iard!

DEIO: *(HWYLIOG)*
'Chdi heliodd o'r diawl, nid y fi!

EM: 'Brysia, Gareth, ma' Miss Wilias yn deud fod 'na rywun pwysig
yn disgw'l amdanat ti'!

DEIO: 'Chdi perswadiodd o, a chael slas iawn am dy ddrygioni!

MAGS: *(AMDDIFFYN EM)*
Naci, 'chdi ddaru (SEF DEIO). Nid Em.

RHI: *(AMDDIFFYN DEIO)*
Efo'i gilydd. Dyna ddigwyddodd. Cynllwyn.
Dau ddiafol efo'i gilydd.

DEIO: 'Fi gafodd y bai ta!

EM: 'Chdi gafodd y slas.

RHI: Wrth rheswm. 'Sa Miss Wilas byth wedi dy gosbi di – 'nafsa, Em? *(WRTH MEL)* Fedra fo neud dim o'i le. Angel bach oedd o yn 'i llygid hi.

DEIO: 'Diafol' gynna', 'angel' rŵan! Fyddi di ddim yn drysu weithia', boi?

EM: Bryd hynny, wastad. *(YNA'N YSGAFN)* Dryswch oedd pob eiliad effro!

MEL: Sorry! 'Rhaid dechrau, neu mi fydd yn amser mynd..

EM: **Ma** – ddeuwch i mi..! 'Rwdlan ac hel atgofion fel hyn.

MEL: Mae popeth yn berthnasol.

EM: O, ydi! *(EDRYCH O'I GWMPAS)* 'Dydi 'r hen le rioed wedi 'ngadael i. Ol ylwch mewn difri..!

SYLWEDDOLODD MAI HEN DDESG YR ATHRO SY'N GORWEDD AR EI HYD, YN ERBYN Y WAL CHWITH.

EM: Desg Miss Wilias! Tawn i'n marw! A Mr. Lunt, o'i blaen hi... Faint ohonoch chi sy'n 'i gofio fo?

DEIO: 'Mr. Lunt is a....!'

MAGS: Paid! Bistaw!

DEIO: *(CHWERTHIN)* Dyna fydda'n cael 'i ddeud ar lafar gwlad!

ERBYN HYN, EM YN STRYFFAGLIO I GODI'R DDESG AR EI THRAED.

EM: Helpa fi, Deio! Ty'd, gael i ni roi mymryn o urddas i'r gweithgareddau!

DEIO: 'Dw i'n gêm!

MAGS: 'Di rhaid? Blwmin lol! Sorry about this, Mel!

MEL: Mae'n iawn.

O'R DIWEDD, LLWYDDA EM A DEIO I GODI'R DDESG AR EI THRAED. HEN BETH DROM, DIPYN O JOB. DEIO, WEDI BLYNYDDOEDD O ESGEULUSO EI HUN, WEDI YMLÂDD. EM, WEDI BLYNYDDOEDD O 'WEITHIO ALLAN', DDIM GWAETH.

DEIO: O, blydi hel..!

EM: Be' ddudsoch chi..!

EM YN SEFYLL TU ÔL Y DDESG A CHYMERYD OSGO ATHRO – NEU, I FOD YN FANWL GYWIR, ATHRAWES.

EM: Glywis i chi'n rhegi, Deio Ifas! Rhag eich cywilydd! 'Rhoswch chi i mi weld y'ch tad!

DEIO: 'Fo dysgodd fi!

DEIO, RHI A MAGS YN CHWERTHIN. MEL YN GWENU HEFYD.

EM: Dyna ddigon o'ch hyfdra chi! Mi gewch aros ar ôl 'rysgol am y'ch gwaith!

DEIO: O, Mus! 'Dio'm yn ffêr..!

EM: Dydi bywyd ddim yn ffêr, Deio Ifas!
Neu yn 'deg' hyd yn oed, pan ddysgwch chi siarad yn iawn!

MAGS: Argol, mi wyt ti rêl Miss Wilias! Paid wir, 'ti'n codi creeps arna'i!

EM: Chi yn y cefna 'na! Byhafiwch! Ia, chi wehilion y rhes gefn!
'R un rhei bob tro, yntê?

RHI: 'Nat wraig dda i rywun, Em.

EM: Deio! Edgar..! Alun!
(SEIBIO) Emrys. Harri! Defi..! Y chwech ohonoch chi i aros ar ôl os gwelwch yn dda! A chditha i'w canlyn nhw, Gareth Ty Isa'..!

MAGS: *(ANESMWYTHO)*
Gan ni ddechra' rwan..?

DEIO: Ia, ty'd yn d'laen, neu yma byddwn ni...

EM: *(FO'I HUN RWAN)*
Toedd o'n beth rhyfadd..! Mi fydda'n eistedd wrth y drws, 'yn bydda? Gareth Ty Isa'; Gareth Bach. Lle smala i'w sodro fo – wrth y drws – fynta'n gythral am redag i ffwrdd!

RHI: Drewi oedd o. Yn enwedig yn 'r ha'.

MAGS: Ol am beth i ddeud am yr hogyn!

RHI: Dyna pam fydda fo'n cael 'i osod wrth y drws.

DEIO: 'Drewi rŵan ta, dydi.

EM YN CHWERTHIN YN UCHEL; MAGS YN TYNNU WYNEB; RHI YN YSGWYD EI PHEN A GWENU; MEL DDIM CWEIT WEDI DALLT.

EM: *(DIFRIFOLI)*
'Dyn yn dŵad i arfar efo drewdod, wedi sbel.
Be' ddigwyddodd i'r tri arall...? 'Mags 'ma byth yn sôn amdanyn
nhw!Pryd....ddaru ni gwarfod ddwytha? 'The Magnificent Seven!'
....i gyd efo'n gilydd, ddwytha. Neu'r....'Magnificent Six' ddylwn
i ddeud – a Gareth Bach yn dal 'ceffyla'. Pryd oedd hi..?

DEIO: Arclwy, sgin i ddim math o go'.

EM: Noson tân gwyllt! Gei Ffôcs! Ia, dyna pryd oedd hi..!
(A'N LLED-SYNFYFYRIOL AM ENNYD)
'Noson gadewis i...

DEIO: Tybad?

EM: Dyna pryd oedd hi!

MAGS: Em, ma'r afon yn codi ac mi 'sa well i ni styrio!

EM: Croesi'r afon ddaru ni'r noson honno! Ar 'yn ffordd i Goed yr
Eryr. Rŵan ta, pwy gafodd y syniad hwnnw? Edgar!

MAGS: Dim peryg!

EM: Mi daerwn i ma' fo oedd o! Rownd y tân; wedi diflasu; y seidar rhad wedi'i yfad i gyd. Coblyn o syniad da.....ar y pryd. Lle ma' gweddill y gang erbyn heddiw? 'Mags 'ma.....byth yn sôn amdanyn nhw. Alun; Harri; Defi....

RHI: Dal hyd y fan 'ma. Alun yn cario; Defi'n rhyw lun o ffarmwr...

DEIO: Buddsoddi mewn gwenwyn llygod mawr ddaru Harri.....

EM: Taw! Wyt ti o ddifri? Harri Fawcett? Naddo, rioed!

MEL: 'Roedd yn drist iawn. Pan gyrhaeddais, dwy flynedd yn ol. Tri mis wedyn.'Roedd wedi gwneud twll, ac eistedd ynddo...

DEIO: Gorfadd!

MEL: Gwisgo Sunday best. Esgidiau glân, polished. Croes sanctaidd uwch ei ben. Dwylo wedi croesi, yn gafael mewn blodau. Trist....ond hardd hefyd.

DEIO: Hardd, o ddiawl! Be', gneud amdano'i hun am na fedra fo stumogi'r jôc eiliad 'rhagor..! Trist.....a gwarthus ydi peth felly, nid hardd.

EM: Pam......digwyddodd o? *(WRTH MAGS, FYMRYN YN BIGOG)* Pam na fasat ti wedi deud!

RHI: I be'; be' fasa'r pwynt?

EM: Sgubo fo 'dan carpad, Rhi?

RHI: Mi syrffedodd, fel deudodd Deio. Mi gafodd lond bol.

EM: Llond bol o be' wedyn?

MAGS: Os na ddechreuwn ni, mi fydd yn amsar i ni droi am adra!

MAGS YN MYND I'R DRWS A'I AGOR. SŴN Y GWYNT A'R GLAW YN CYNYDDU.

MAGS: Ma'r afon 'dat 'i glanna' bron!

EM: *(HWYLIOG)*
         Dechra' amdani ta! Cynta'n byd, gora'n byd!

MAGS YN CAU Y DRWS. YN GYFFREDINOL, YN YSTOD YR ISOD, PAWB YN SETLO I EISTEDD.

MEL: 'Roeddem yn trafod syniadau a chynigion pawb....pan
         gyrhaeddaist. 'Rwy'n edrych ymlaen i glywed dy input. Eistedd...?
         (SEF WRTH EI HYMYL HI)

RHI: Ma' 'na le i ti 'fa'ma. *(WRTH EI HYMYL HI)*

MAGS: 'Gei ddŵad i f'ymyl i, os leci di!

DEIO'N CRECHWENU IDDO'I HUN. GŴYR Y DAW EM I EISTEDD ATO FO.

EM: 'Neith fa'ma 'tro. *(SEF WRTH YMYL DEIO)*

MAGS: Ma' 'na dwn i ddim faint heb 'i gneud hi, achos y tywydd! Dan Felix yn un....

DEIO: Y pen pwysigyn!

MAGS: *(EGLURO WRTH EM)*
Cynghorydd! 'Well in'. 'I fys ym mrwas pawb.

DEIO: Mae o'n gês! Ew, mi ddeudodd un dda wrtha'i 'dydd o'r blaen. Ty'ma! Ty'ma!

DEIO YN TYNNU EM I UN OCHR, ALLAN O GLYW Y GENOD. AC YN GYNLLWYNGAR BLENTYNNAIDD.

DEIO: How is a wank de.......better than an egg?

MAGS: 'Gan ni fwrw iddi, plîs!

GAN AMAU FOD ANWEDDUSTRA'N CYMERYD LLE.

EM: How is a......?

DEIO: ....better than an egg? You can **beat** an egg! **Beat** an egg! Da 'te!

EM: 'Dw'i ddim.......cweit yn dallt.

WRTH GWRS EI FOD O

DEIO: Ol...! Fedri di ddim curo wanc, nafdri..!

143

EM: O! Gweld hi rŵan!

Y DDAU YN CHWERTHIN. YNA EM YN 'DIFRIFOLI', GAN OSOD EI DDWY LAW AR YSGWYDDAU DEIO.

EM: A mae o'n wir hefyd, 'dydi boi?

CYD-CHWERTHIN ETO.

MAGS: Dowch yn y'ch blaena' wir!

MEL: Mae llawer i fynd drwyddo.

DEIO: *(PIFFIAN)*
'Chance would be a very fine thing' 'y ngenath i!

EM: Wel bydda hefyd!

RHI: Gad lonydd i'r hogyn, a ty'd yn dy flaen!

EM: *(HWYLIOG)*
Genod! Difetha pob dim... *(YNA WRTH MEL)*
'Ddrwg gin i, Mel! Dw i'n addo byhafio o hyn ymlaen.
Wir yrr.

DEIO: Cris croes, tân poeth.

EM/RHI/MAGS/DEIO: 'Torri 'mhen a thorri 'nghoes...'

*DAETH YR UCHOD YN REDDFOL NATURIOL I'R PEDWAR.
OND MYMRYN O SYNDOD IDDYNT HEFYD.*

MAGS: Iesgob!

DEIO: Blydi hel!

Y PEDWAR YN CHWERTHIN.

RHI: Lle arall wyt ti am fynd â ni heno 'ma, Em...?

MEL: O'r gorau! Eich sylw os gwelwch yn dda...?

PAWB YN SETLO.

MEL: O. K. 'R wy'n agor y cyfarfod yn swyddogol - once again! Croeso i bawb. Yn gyntaf, hoffwn wrando ar syniadau...Wyt ti'n gwneud notes, Mags?

MAGS: Ydw, 'Tad. At your service

MEL: Pwy sydd yn dechrau..?

MAGS: Wel..! dw i'n meddwl...!

MEL: Beth am ganolfan celf – for the arts...

MAGS: Sori! Ga'i ddeud fy syniad i gynta tra mae o yn 'y mhen i..

DEIO: Reit sydyn ta, fydd o'm yna'n hir!

MAGS: Iawn, Mel?

MEL: Yes, go on..

MAGS: The thing is de – dw **i'n** meddwl – **I** think....

DEIO: Ma'r pnawn Sadwrn 'na dreulist ti'n Gaer wedi deud yn no arw a'n't ti,Mags...

MAGS: Be'? Paid â siarad lol, neu mi fyddai wedi cymysgu'n lân..

MEL: Canolfan arlunio especially oedd fy syniad i...

MAGS: O!

MEL: Lle i talent lleol gael ei dinoethni..

DEIO: Tynnu llunia' pobol yn noethlymun, geryn groen?
Rho f'enw'i lawr, Mags!

RHI: Pwy fydda'n 'i redag o? Pwy fydda'n elwa?

MEL: Rhywbeth i'r gymuned, Rhi; rhywbeth i bawb.

RHI: Ia, ond mi fasa gofyn cyflogi rhywun i ofalu am le felly, 'n basa? Rhywun go....arbenigol.

MEL: Efallai.

MAGS: 'Dw i'n cytuno efo Mel. 'Dw i'n cytuno ma' dyna ddyla ni gael..

DEIO: Be', mi wyt ti jyst yn mynd i gytuno efo'r person 'gosa atat ti?
(SEF MEL)

MAGS: Cartra henoed ta..! Neu rwbath...

RHI: Cartra henoed! Be' 'sa peth felly'n dda i neb?

EM: O les i'r henoed.

DEIO: Wyddoch chi be' leciwn i weld...?

RHI: 'Dw i'n hoff o'r syniad o ganolfan. Ond nid dest i'r celfyddydau..
Na, ma' angen rhywbeth mwy eang ei apêl...

MAGS: Canolfan farchogaeth, mwn!

RHI: Pam lai! 'Faint fynnir o dir, tu cefn..

MAGS: A phwy fydda yng ngofal lle **felly,** 'sgwn i!

DEIO: Be' am ganolfan farchogaeth i'r henoed...?

EM YN CHWERTHIN. MEL YN FFROMI.

MEL: Mae hyn ychydig yn silly.

DEIO: Neu..! Ysgol...

MAGS: Ysgol!

DEIO: O ddifri rŵan. Agor ysgol. Ail-agor. Dyna'r rhodd fwya'
'medra ni rhoi i'r gymuned 'ma. Yn ôl i fel byddai.

AM ENNYD, PAWB YN DIFRIFOLI.

MAGS: Ol paid â siarad drw' dy het! 'Rhaid cael plant i agor ysgol; a phlant i'w chynnal hi!

DEIO: *(MYLLIO)*
'Sa well 'ni gyd ddechra' ffwcio ta felly, 'basa!

ENNYD O DENSIWN.

EM: 'Dw i'n gêm.

HYN YN RHYDDHAU Y TENSIWN – YN DEIO O LEIAF.

DEIO: Ddechreuwn ni heno 'ma, Em?

MEL: Bwriad ddim yn ddigon, Deio. 'Rhaid cael mwy.

DEIO YN ANESMWYTHO.

MAGS: Iesgob, gan ni gario mlaen wir..

EM YN RHOI LLAW I ORFFWYS AR YSGWYDD DEIO.

EM: Chdi a fi, boi.

RHI YN FFROENOCHI.

DEIO: Be'wt ti'n 'i rochian? Jelys?

RHI: Oeddwn. Unwaith.

*EDRYCHIAD HIR, CALED RHWNG EM A RHI. LLAW EM YN LLITHRO
ODDI AR YSGWYDD DEIO.*

MAGS: Be' amdanat ti, Em? Sgin ti syniada' o gwbwl?

EM: Oes, fel mae'n digwydd bod.

MAE'N SEIBIO YN FWRIADOL DDRAMATIG.

RHI: Wel?

MAGS: Duda!

EM: Codi pres, wrth rheswm. Angenrheidiol. Ffurfio ymddiriedolaeth;
           apwyntio trefnydd. Mi fyddwn **i'n** fodlon cymryd yr awenau.....
           ....tasa chi isio.

*CYNNIG ANNISGWYL. DEIO, MAGS A RHI DDIM YN YMATEB YN
EITHAFOL, UN FFORDD NA'R LLALL. FODD BYNNAG, MEL YN
YSTWYRIAN YN ANNIDDIG.*

MEL: O, 'rwy'n credu bod yr expertise ganddom yma, ar y llawr...

EM: Ma' gin i ddigon o brofiad. 'Wedi trefnu ambell i ymgyrch a
           phrotest.......tua Llundan 'cw.

DEIO: Dow! A be' sgin **ti** i brotestio yn 'i gylch o, os gwelwch yn dda..?

RHI: Hawlia'......'dynol', Em?

'EDRYCHIAD' ARALL RHWNG EM A RHI, CYN I EM LED-WENU YN DERFYNOL.

DEIO: Be' wedyn? Codi pres, ia; prynu'r lle; atgyweirio o'r top i'r gwaelod! Ond be' wedyn? Agor siop lyfra'?

MAGS: Mi 'sa Marcus wrth 'i fodd 'ma!

EM: Go brin, Mags. Rhy anghysbell. Diffyg cyfleusterau.

MAGS: Nafsa, wrach. Fynta'n mynd i oed.

EM: Dydi'o ddim mor hen â hynny, y globan!

RHI: Wyt ti'n byw efo fo?

MAGS: Mae o wedi bod yn wael. 'Dydi, Em? 'Dw'i wedi gwarfod o! Mi gafon wadd i de, Edgar a finna, pan oeddan ni'n Llundan yn gweld y seits. Neis iawn. Dyn neis iawn. Te lyfli.

RHI YN YSGWYD EI PHEN A LLED-CHWERTHIN IDDI EI HUN. EI AMHEUON YNGLŶN AG EM WEDI EU CADARNHAU YN DERFYNOL FWY NEU LAI. MEL HEFYD YN DECHRAU EI GWELD HI...

DEIO: 'Ti'n..... byw efo'r Marcus 'ma ta?

MAGS: Rhannu ty!

DEIO: *(BRATHOG)*
'Chdi 'di sbocsman dy frawd mwya' sydyn..!?
(SEIBIO, YNA WRTH EM:) Jolly iawn. Be', gofalu amdano fo
'lly? 'Di'o wedi bod yn wael iawn?

EM: Gafodd law driniaeth go hegar yn ddiweddar.
Mae o'n gwisgo bag.

DEIO: Ffwcin hel. Be' – yr hen fag.....*(AC MAE'N 'GEIRIO')* cachu...?

EM: *(HEB FOD YN GAS)*
'Sdim byd yn ddoniol yn y peth, Deio. Iddo fo, nag i fi.

DEIO: Nagoes, ddyliwn! Hen dro. Cael damwain ddaru o, ta dal rhyw
aflwydd, ta be'?

MAGS: Dydi Em ddim isio son am y peth, Deio!

DEIO: Chdi ddechreuodd! Chdi ddeudodd fod o'n wael!

EM: Sgin i ddim cwilydd son amdano fo, Mags.

MEL: Beth am symud ymlaen? Em, y syniad ysgol: wedi'r prynu ac
atgyweiro...?

EM: Na, fyddwn i ddim yn 'i hatgyweirio hi. 'Phrynu hi, wrth rheswm
pawb. 'Phrynu hi, i'r gymuned. Ond wedyn 'i gadael hi; 'i gadael
hi i fynd yn adfail; gadael i'r Fam Ddaear ei hail-feddiannu

*YR UCHOD YN CYMERYD SBEL I SUDDO I MEWN. YNA, YR ISOD AR
DRAWS EI GILYDD, BLITH-DRAPHLITH.*

DEIO: Gadael...!

MAGS: Be'n union wyt ti'n....! *(FEDDWL)*

RHI: Peidio gneud......? *(DIM IDDI)*

MEL: Dydw'i ddim yn deall....!

EM: Fferu'r gorffennol! Pwy fasa ddim, 'tasa fo o fewn 'i gallu nhw! Fferu, fel medran ni gyd gael sbec; codi'r garrag, gael 'ni weld be' sy'n llechu dani.

DEIO: Ond..! Fysa peth felly'n da i ddim siwr! Mi 'sa gofyn creu joban neu ddwy yn 'i sgil hi debyg, neu i be' awn ni boitsio ddiawl!

EM: Sud fath o swyddi wedyn?

DEIO: Ma' unrhyw waith yn well na dim! Ma' gofyn iti ddal dy gap allan pan ma' hi'n bwrw 'sti!

EM: Beryg ma' rhywun o' ffwr' fydda'n prynu, Deio. Gyda phob dyledus barch, Melanie!

MAGS: Dwybunt yr awr am sgubo lloria' a gwarchod y drws; a hynny am gwta saith mis y flwyddyn. Ma' gin Em bwynt.

DEIO: Fydda'm ots gin i! Paid a bod mor ddiawledig o byticilar, wir Dduw!

MAGS: 'Chdi, wrach. 'Bres ddigon del, chditha wedi arfar ar ddim bron.

152

DEIO: Be' sy' harut ti...!

MAGS: Prin fod gwerthu becyn o gefn Lan Drofyr yn llewyrchus, Deio!

DEIO: Tymhorol ydi'o! Ac mae o'n fywoliaeth...

EM: Debyg iawn 'i fod o.

MAGS: Doeddat ti ddim ar gyflog yn Stevenage ta!
Ar ddim oeddat ti'n byw yn fan'o!

DEIO: Be'.....ddeudist ti?

MAGS YN ANESMWYTHO; EDRYCH AR RHI A DEIO AM YN AIL.

MAGS: Wel.....nesa peth. Dy fwyd a dy le! Dy bres peint, mwn.
Edgar oedd yn deud!

DEIO: **Be'** ddeudodd o!

MAGS: Ma' dyna ddeudist ti wrtho fo! Yn y Prins! Sori, Rhi...

YSBAID.

EM: Wyddwn i ddim dy fod ti wedi bod yn Stevenage.

DEIO: Mi wyt ti'n gwybod rŵan.

EM: *(WRTH RHI)*
Gweithio i chdi oedd o...?

MAGS: Yn y siop bric-à-brac cyn iddi fynd yn fler! Sori, Rhi!

DEIO: Wrth 'y modd. Yn 'bricio' weithia' ac yn 'bracio' dro arall.

EM YN CHWERTHIN.

DEIO: *(DIDWYLL)*
Ac yn ddiolchgar iawn, iti gael dallt! Falch o gael to uwch 'y mhen a thamad yn 'y mol. Ddiolchgar iawn i'r hen chwaer.

RHI: Nid dyna'r argraff ges i ar y pryd!

DEIO: Cythral o beth ydi cael y'ch troi i'r lôn ar noson oer o aea'. Yn enwedig o'ch ty y'ch hun.

MAE'N HOELIO EI LYGAID AR MEL YN YSTOD Y SYLW OLAF.

MEL: *(HEB GYDWYBOD)*
Na, Deio.

DEIO: Be' – 'na' be'? Mae o'n wir...

MEL: Mae yn gelwyddau!

EM: Be' sy'n glwydda...?

DEIO: Hitia befo. Hon *(MEL)* sy'n mwydro.

MEL: Mae yn gelwyddau, ac dwyt ti ddim yn cael get-away gyda dweud celwyddau!

DEIO: Credwch chi be' fynno chi.

MAGS: Paid a rwdlian wir. Mel sy' pia Hafod Owen rwan.

DEIO: Wrach hynny. Ond sud gafodd hi 'gafael arno fo yn y lle cynta' ydi'r cwestiwn mawr...! Sud gafodd Malcolm Lodge afael arno fo'n wreiddiol? Pam gwerthodd o fo wedyn...!

MEL: Cael arian cyfreithlon amdano!

DEIO: Something! Bygyr ol bron. *(MAE'N MWMIAL DAN EI WYNT)* Dyna fo: 'tynnach y tynn cont na thynn rhaff ' ma' nhw'n ddeud de.

NEB CWEIT YN SIWR BETH DDYWEDODD O. MAGS YN OFNI'R GWAETHAF.

MAGS: Be'.....ddeudist ti?

DEIO YN GWTHIO EI WYNEB O FEWN MODFEDDI I'W HWYNEB HI.

DEIO: 'Tynnach y tynn **cont**....na thynn rhaff '!!!

RHI: Deio!!

DEIO: Chwystrella dy glustia, wir Dduw!

MAGS: Rhag dy g'wilydd di! Deud ffasiwn beth!

MEL: Beth mae'n meddwl? What does it mean!

MAGS: It...it...means....Arglwydd, I don't know!

DEIO: Wyt, mi wyt ti! Dyna sud fachist ti Edgar, debyg?
'Rhaid ma' dyna ddigwyddodd, sgin ti fawr arall yn apelgar yn dy gylch di..

MAGS: Wyt ti'n mynd i adael iddo fo siarad efo fi fel hyn...!

EM: Mae o'n siarad sens, Mags.

DEIO: Da'r hogyn!

EM: Yr arf cryfa' sgyno ni. 'Pawb yn cael 'u dal, rhyw ben neu 'gilydd.

DEIO: Yn hollol! Mi gafodd Edgar 'i ddal; mi gafodd Tim druan 'i ddal ..'n do, Rhi? Timmy! (WRTH EM) Llipryn! Hen foi iawn, ond cadach llestri. Mi gafodd 'i gnoi, a'i boeri allan, cyn medra fo ddeud Pen 'Gwryd.

RHI: *(SYCH)*
Fedra fo'm deud Pen 'Gwryd.

DEIO: *(WRTH MEL)*. Mi gafodd Malcolm Lodge 'i ddal, mewn feis felys, nes oedd 'i llgada fo'n groes a'i gwd o'n hongian! Eitha gwaith iddo fo ddeuda i. Mi jiwiodd fynta'n 'nhad 'r un fath yn union. Er, fuodd o rioed ar 'i gefn o chwaith, hyd y gwn i ..

EM: Does wybod!

CYD-CHWERTHIN.

MAGS: 'D wyt ti ddim i fod i ddeud 'jiwio'.

DEIO'N RHYTHU ARNI.

MAGS: Yn...nag'di, Mel?

DEIO: Be' 'dw'i fod i ddeud ta? Dyna ydi'o!

MAGS: 'D wyt ti ddim i fod i ddeud o dyddia' yma!

RHI: Mi wyt ti'n deud 'mongol'.

MAGS: Iesgob, nag'dw! Pryd....clywist ti fi'n...? Am bwy!

RHI: Sawl un sy' yn yr ardal 'ma? Oedd....yn yr ardal 'ma.
Dyna glywis i chdi'n galw Gareth Ty Isa' droeon.

MAGS: Ol dyna ydi'o! Mongol bach ydi'o! Oedd o!

DEIO: Ia, ond 'd wyt ti ddim i fod i ddeud o dyddia yma, Mags!
(A CHWERTHIN).

EM: *(DAWEL)*
Person oedd o.

MEL: Mae'n academic. Mae Deio yn cael dweud rhywbeth.
Pob celwyddau a half-truths. Efallai yr hoffet ddweud y celwyddau
am y noswaith yn yr eira, Deio! Celwydd ydyw!
Ond damn good story..

157

DEIO: *(WRTH EM)*
Chwil gachu.

MEL YN TROI AT MAGS YN LLED-DDRYSLYD; HONNO'N GWNEUD ARWYDD YFED.

MEL: Ddim mor pissed a hynny, Deio!

DEIO: O-reit, o-reit! Diffyg awydd ta. 'Rhaid mod i wedi taro sbectol am 'y nhrwyn am funud, a sylweddoli be' o'n i wedi lusgo 'n ol i'r ty efo fi..!

MEL: Ty **fi!** Dim ty ti!

DEIO: Dudwch chi.

MEL: Ty fi, Deio! Ac os wyt ti yn mynnu dweud yn wahanol, byddaf yn forced i ddweud beth wnaeth really ddigwydd y noswaith honno! So....shut up, if you know what's good for you!

DEIO: Carry on, 'di ddiawl o bwys gin i! Be'di'r ots, mae o'n digwydd i bawb yn 'i dro, tydi...? I ni hogia o leia'.
(EDRYCH O UN I'R LLALL YN DDIREIDUS)
Mi wrthododd yr hen sowldiwr ddwad allan i chwara. Iawn?
'D oedd 'na ddim math o berswad arno fo, cofiwch!

EM: Digwydd i bawb yn 'i dro..

DEIO: Diolch yn fawr, Em!

EM: Digwydd i ni gyd. 'Nenwedig i ni'r hogia, fel deudist ti.

158

DEIO: I bawb o dro i dro. Mi ddigwyddodd i mi, noson honno! A pha syndod? Sud oedd disgwyl i'r bwystfil stwyrian, a finna' ar wastad 'y nghefn yng ngwely 'hen ddynas fy mam a'r hen ddyn...!

RHI: Mi fysa mam yn cael ffit biws tasa hi'n dwad i wybod.

DEIO: O, be'di'r ots! Be' ddiawl 'di'r ots amdani!

DEIO WEDI YMLADD YN SYDYN, AC YN TEIMLO'N DDIFLAS. TORRI I FFWRDD ODDI WRTH Y GWEDDILL A MYND I BWYSO YN ERBYN DRWS Y GEGIN. YFED O'R BOTEL WISGI.
MAGS YN GWNEUD DIPYN O SIOE O AIL-DREFNU EI PHAPURAU.

MAGS: Cydio ynddi 'sa ora' i ni, Mel! Neu yma byddwn ni...

EM YN DOD DRAW AT DEIO. DEIO'N CYNNIG Y BOTEL IDDO. EM YN DERBYN, AC YFED. CYD-WENU. EM YN GORFFWYS BRAICH AR YSGWYDD DEIO.

EM: Paid a bod ofn.

DEIO: Ofn honna? Dim diawl o beryg!

EM: 'Ddigwyddodd i mi 'sti! 'R un peth yn union.

MAGS: Ydach chi'ch dau yn pasa cymryd rhan yn y drafodaeth 'ma?

EM A DEIO'N YMLWYBRO'N OL TUAG AT Y BWRDD.

EM: Wyt ti'n cofio'r gair...?

DEIO: Gair...?

EM: Nefi, mi oeddan ni ofn hwnnw ta! Hen ofn cynhenid, cyntefig. Hyd yn oed y ni, hogia'r wlad, oedd â pherffaith hawl i'w ymarfer o!

DEIO: Pa air?

EM: Be' 'dach chi'n gael i ginio 'Dolig leni...?

DEIO: *(CI PAVLOV)* Ceiliog!

EM: Ceiliog! Iâr! Chwadan! Crocodeil!! Peidio cyfadda i dwrci oedd y gamp.

WYNEB DEIO YN SIMSANU WRTH GOFIO.

EM: 'Doedd fiw bod yn gysylltiedig â'r enw hwnnw!
(MYND YN DDWYS) Gwyn druan. Wyddwn i ddim ma' 'Thomas' oedd 'i syrnam o am yn hir.

MAGS: Gwyn Twrci? Mi oedd o'n.....! (ATAL) Wel, yn ol pob son..

EM: Yn be', Mags? Mi oedd o'n 'be? *(YNA WRTH DEIO)* 'Ddigwyddodd i Gwyn sawl tro ddyliwn!

DEIO'N ANESMWYTHO.

EM: 'Ddigwyddodd i mi! 'N do, Rhi?

RHI: Os wyt ti'n deud.

160

EM: Pan o'n i'n......bedair ar ddeg oed? 'Cofio?
Fy hudo'i am ogof Gwenllian am dro bach..?

DEIO: Be' – mi fuo chi yno eildro hebdda' i?

EM: 'Doedd Rhi ddim am gwmni neb ond y fi, diwrnod hwnnw.

MAGS: Ydan ni'n mynd i fwrw iddi ta ydan ni ddim?
Mi fydd Edgar yma i fy nol i, toc.

EM: Os llwyddith o i dy gyrraedd di drw'r llifogydd 'ma.

MAGS: Paid â gneud lol, wir!

EM YN HOELIO RHI GYDAG EDRYCHIAD.

EM: **Wyt** ti'n cofio?

RHI: *(DIAMYNEDD)*
Plant oeddan ni! 'Ti'n gneud môr a mynydd o ddim.
Mi oeddwn i wedi llwyr **ang**hofio erbyn gyda'r nos..!

DEIO: Be' 'lly?

EM: Doeddwn i ddim! Anghofis i byth. Dal yn hunllef o bryd i'w
gilydd.

MAGS: Be'di'r ots, rŵan! 'Gan ni fwrw iddi, plîs? Be'di'r ots!
Hen chwara plant, dyna'r oll oedd o, decinî.

EM: Dyna'r oll oedd be', Mags?

MAGS: Petha' fel'a! Hen chwara plant...

EM: *(CRYF AC EMOSIYNOL)* Nid chwara plant oedd o i **mi,** Mags!

DISTAWRWYDD.

EM: Sefyll o 'mlaen i, a dy flows yn gorad; gosod llaw grynedig rhwng
defnydd a chroen; disgwyl i mi 'neud fy 'nyletswydd'.
'S gin ti'm syniad yr artaith es i drwyddo fo, yr ennyd honno.
Yr ennyd honno, ar y diwrnod hwnnw, mi ddoth 'y myd bach i ben.
Y diwrnod hwnnw, mi sylweddolis y pwysa' mawr fydda' arna'i,
weddill fy oes.

DEIO: *('HWYLIOG')* Be'.....oedd matar ta; oeddat ti'n sâl?

RHI: *(FFRWYDRO)* Iesu Grist o'r Sowth!! Ydi 'ddim yn hollol amlwg
be' oedd matar!

DEIO: Nag'di, i mi! Dyna pam 'dw i'n gofyn yli...

EM: Ydi, mae o.

DEIO: Sud...?

RHI: Be' wyt ti'n feddwl ydi Em 'ma, Deio?

MAGS: Paid! Taw!

EM: Mi ŵyr o. Yn 'i galon.

DEIO: Byw mewn carafan a gwerthu becyn o gefn Lan Drofyr ydw' i. Wn i ffyc ôl, mêt.

RHI: Wnest ti rioed ddychmygu – o ddifri – ma' hen lanc oedd o, go iawn?

MAGS: Gad ti lonydd i Em!

EM: *(WRTH MAGS)* Wyt titha'n 'gwadu' hefyd...?

RHI: Gadael hynny o frên sy' gin ti ar ôl ar far y Prins wnest ti, Deio?

DEIO: Mo'r syniad lleia' am be'wt ti'n sôn , cofia..!

EM: Oes, ma' gin ti.

YSBAID.

EM: Ma' gin ti, Deio.

DEIO: Be'....! Mymryn o hwyl, pan oeddan ni'n rhy ifanc i ddallt? Duw, iawn de! Rhan o brifio. Dyna'r oll oedd o! Hen chwara plant, fel deudodd Mags 'ma. 'Pan oeddwn fachgen...'....ac ati.

EM: A be' wyt ti'n feddwl 'dw i'n dda efo Marcus ers yr holl flynyddoedd?

DEIO: Be' wn i? Torri gwinadd 'i draed o? Be' wn i!

YSBAID.

MAGS: 'Marcus yn ddyn neis. Mae o'n ddifyr...a neis.

DEIO: *(YN FFRWYDROL)*
O! Ydi'o? 'Neis'....ydi coc yn dy din?
'Difyr' a **'neis'** ydi peth felly?!

DISTAWRWYDD.

EM: 'Medru bod, ond i ti ddefnyddio digon o fasalin.

DEIO: Reit! 'Dw i'n mynd..

EM: Paid a mynd..!

MEL: Best idea you've had all night.

MEL A DEIO YN DECHRAU HEL EU GER; PARATOI I ADAEL.

EM: Deio, paid a mynd...

DEIO: 'Fancy a drink...?

MEL: Gyda ti? No thanks.

*MAGS, WEDI YCHYDIG O BETRUSO, YN DILYN ESIAMPL DEIO A MEL
A DECHRAU HEL EI PHETHAU.*

EM: Deio, paid a bod yn wirion..!

DEIO: Fi...!...yn wirion? Sbia adra, amigo!

EM: Chditha hefyd.......? *(WRTH MAGS)*

MAGS: *(LLETCHWITH)* Mi fydd Edgar yn 'y nisgwyl i. Wela'i di'n 'ty.

EM: *(YMBILGAR)* Deio, paid a mynd! Nid nes 'byddwn ni wedi setlo petha'!

EM YN CYDIO YN FRAICH DEIO; HWNNW'N YMATEB FEL PE BAI O WEDI CAEL EI GYFFRWRDD GAN UN A'R GWAHANGLWYF ARNO.

DEIO: Cer a dy facha' i rwla arall, met!

EM YN CAMU YMLAEN YN GYFEILLGAR; ESTYN LLAW.

EM: Hei...

DEIO: O 'ngolwg i! Mochyn! Ffwcin**.....moch**..!!...dyna ydach chi!

RHI/MAGS: Deio!!

EM: 'D wyt ti ddim yn credu hynny o ddifri?

DEIO: Gwaeth! O leia' ma' moch yn ddefnyddiol...

EM: Er yn dymhorol...?

DEIO: Basdad budr. Isio'ch sbaddu chi gyd sy'...

MAGS: Dos os wyt ti'n mynd, Deio....

RHI: Ia, dos.

DEIO: Cynta' medra'i, c'ofn 'mi ddal rwbath!

DEIO, MAGS A MEL YN HEL EU PETHAU. AGWEDD RHI TUAG AT EM YN MEDDALU.

RHI: Wyt ti am alw am banad ar dy ffor'? Mi 'sa mam wrth 'i bodd yn dy weld ti....

EM: 'S gin ti ddim ofn dal rhyw aflwydd?

CYD-WENU CYNNIL.

DEIO: Do'n i ddim isio i betha' fod fel'ma, dallt. A'n't ti ma'r bai! A'n't ti......ma'r bai, Em. Hen lol! 'D oedd dim rhaid i ti....!..fynd..!.....fel wnest ti.

EM: O! Diddorol.

DEIO: Hen lol ddiawl! Difetha'r sioe i gyd.

EM: Fedar neb fod yn gowboi am byth.

DEIO: Mi fedra' i yli! Fod yn beth fyd fynno'i.

EM: Yn dy gell; o fewn muria' dy garafan. Ond 'fedrat ti gerddad i mewn i'r Prins wedi dy wisgo fel John Wayne?

AM ENNYD, DEIO WEDI EI GORNELU.

DEIO: *(YN DERFYNNOL)* 'Fancy dress', nos Calan; apel plant mewn angen. Medrwn 'tad!

EM: Nid gneud fel mynnot ti fydda hynny! Twyll.....fydda hynny, Deio. Mi fedra' i fod yn John Wayne rownd y flwyddyn, heb falio botwm am neb.

DEIO: *(WEDI ENNYD)* 'Fi 'fi John Wayne. Defi Crocet wyt ti.

EDRYCHIAD O BWYS RHWNG Y DDAU. DEIO YN BRATHU EI WEFUS ISA', YMLADD EMOSIWN. DYDI FYNTA CHWAITH DDIM AM ADAEL PETHAU FEL HYN. EM YN YMDRECHU I GYFFRWDD BRAICH DEIO YN GYFEILLGAR. OND DEIO'N DYCHWELYD I DEIP A'I WTHIO I FFWRDD.

MEL: Sod this, 'rwy'n mynd.

YN YSTOD YR UCHOD, AETH RHI AT Y DRWS ALLAN A'I AGOR.

RHI: 'D eith neb i nunlla am sbel.

PAWB YN ADWEITHIO. MAGS A MEL YN PRYSURO I'R DRWS AC EDRYCH ALLAN.

MAGS: Nefi wen! Mae o 'dat y giât! Be' wnan ni rŵan?

DEIO YN MYND I EDRYCH. RHI, MEL, MAGS A DEIO YN UN CLWSTWR WRTH Y DRWS YN EDRYCH ALLAN. EM AR WAHÂN, AC YN HAMDDENOL.

MEL: Bugger!

MAGS: Ma'r afon wedi gor-lifo, Em! Be' wnân ni?

EM: Boddi i gyd.

MAGS: *(BRON YN DDAGREUOL)* Argol, paid â deud peth fel'na wir!

RHI: O, bydd ddistaw, bendith 'nefoedd i ti!

MAGS: Ma'r dŵr yn gorchuddio'r lôn, Rhi! Be' tasa fo'n cyrraedd y drws?

DEIO: Chyrhaeddith o byth cyn uched, yr hulpan!

MEL: *(WRTH RHI)* Ble mae car ti...?

RHI: *(TYNNU WYNEB)* Tu ol i'ch un chi, ochr bella'r lon.

MEL YN ESTYN FFÔN SYMUDOL A DECHRAU BYSEDDU.

EM: *(HWYLIOG)* A ma' f'un inna' tu ol i d'un ditha'...! (SEF RHI)

RHI: Nid jôc ydi'o, Em. Leciwn i ddim bod yn styc yn fa'ma drw' nos.

EM: Pam lai! Yli di'r hwyl 'sa ni'n gael. Fel 'stalwm!
          Be' amdani, Deio?

RHI ERBYN HYN WEDI DILYN ESIAMPL MEL AC YN BYSEDDU EI FFÔN SYMUDOL.

EM: Y fi 'di John Wayne! Naci! **Ma**-ddeua i mi. Begio'ch pardwn.
          'Chdi 'di John Wayne; y fi 'di Defi Crocet!

DEIO: *(WRTH RHI)* Rwbath? *(SEF Y FFÔN)*

RHI YN YSGWYD PEN.

EM: Pwy geith y genod fod....?

DEIO: Mel...?

MEL: No signal at the moment.

EM: Pwy oeddat ti hefyd, Mags? 'Running Rabbit'! Ia, siŵr.
Ofn dy gysgod.

MAGS: Be' 'dan ni'n mynd i 'neud ta....?

MEL: Aros Edgar. Faint o'r gloch oedd o'n dod...?

MAGS: Dim am un awr arall!

DEIO: Pwy sy'n deud y medar hyd yn oed y jeep y'n cyrradd ni?

RHI: Ma' gynno fo ddigon yn 'i ben i roi gwybod i'r gwasanaetha' brys,
debyg!

EM: 'Rising Star' oeddat ti, Rhi. 'Cofio...? 'Rising Star'!
Mi fyddwn mewn cariad a'r enw yna! Mewn cariad â'r ddelwedd,
o leia'....

DEIO: Be' tasa Edgar.......wedi galw yn y Prins?

MAGS: Ia...?

EM: Be' amdanoch chi, Mel? Fysa chi'n bodloni ar ddal 'ceffyla'?

DEIO: Oedd o'n pasa galw yn y Prins?

MAGS: Wel...oedd. Chwara teg! Lle arall eith dyn i ladd amsar ar noson mor arw?

DEIO: Mae o'n styc 'i hun ta felly, dydi.

RHI: Ydi'o...?

DEIO: Ar **lan** yr afon ma'r Prins, tro dwytha sbis i.

RHI: Mi fedrith ffonio o fan'o!

MAGS: Os.....nad ydi'r gwifra' i lawr.

RHI: Os! Os! Os coda'i o 'ngwely fory a mynd am dro, mi fydd mellten yn siŵr o 'nharo'i!

YSBAID.

MAGS: *(WRTH EM)* Be' am dy ffôn **di**......!?

EM: Be' amdano fo...?

MAGS: Ol....!

DEIO: 'S gin ti ffon?

MAGS: Y diweddara'!

DEIO: Grêt! Ty'd yn d'laen ta...

EM YN ESTYN FFÔN SYMUDOL.

MEL: Yn gyflym, please, am beth wyt ti'n disgwyl...!

RHI: Brysia, Em!

EM: Neb isio chwara...?

MAGS/DEIO/RHI/MEL: Iesgob, Em!/Ffwcin...!/Reit sydyn!/Get a move on!

EM: *(HWYLIOG)* Ôl-reit, ôl-reit! Fel mynnoch chi...

EM YN YMLWYBRO I GYFEIRIAD Y DRWS (SYDD YN DAL AR AGOR), GAN FYSEDDU EI FFON YR UN PRYD.

RHI: Chafon ni ddim llifogydd fel hyn ers......

DEIO: Faint oeddan ni? Saith, wyth....? Eira, do!

MAGS: 'Foddodd Eirlys.

DEIO: Yn yr eira?

RHI: Paid â gwamalu. Mi o'n i'n diw i fynd hefo'i, diwrnod hwnnw.

MAGS: Oeddat 'fyd?

RHI: Gorfu i mi aros adra i warchod hwn. *(SEF DEIO)*

DEIO: 'Dw'i wedi bod yn dda i rwbath ta.

171

RHI YN CIL-WENU. MEL YN AFLONYDDU, TEIMLO ALLAN O'R SGWRS.

MEL: *(I GYFEIRIAD EM)* Anything?

YN YSTOD YR UCHOD, LLONYDDODD EM; AETH YN SYNFYFYRIOL WRTH EDRYCH ALLAN I'R NOS.

EM: Ar draws yr afon ar y cerrig rhyd.
            Ar draws yr afon i Goed yr Eryr....
            (TRY I WYNEBU'R GWEDDILL)
            Nofio'r afon i ddŵad o'no. Nofio am 'y mywyd.
            'Cofio, genod?

*RHI, MAGS A DEIO **YN** COFIO. LLONYDDU.*

MEL: Wyt ti'n derbyn signal, or what?

YN FWRIADOL, EM YN GADAEL I'R FFON LITHRO O'I FYSEDD I'R LLAWR.
YN FWRIADOL ETO, MAE'N EI FALU YN RHACS GYDA SAWDL EI ESGID.

Y GWEDDILL YN SYFRDAN AM ENNYD; EDRYCH AR EM YN GEGRWTH, METHU CREDU IDDO WNEUD PETH MOR WIRION.

MEL: Fucking idiot!

EM: Be' ddeudsoch chi.......Melanie North? What did you say, my dear?
            (MEWN GOR-ACEN OGLEDDOL)

DEIO: Ffwcin idiot!

DEIO YN RHUTHRO EM YN FYGYTHIOL; YN DDIGAMSYNIOL, MAE'N FWRIAD GANDDO EI DARO. YN GWBL DDI-FFWDAN, EM YN EI LORIO GYDAG UN GIC EGR I'W BENGLIN.

DEIO: Asu! Asu!

Y GENOD WEDI EI BRAWYCHU. Y GEM I'W GWELD YN BERYGLUS IAWN MWYA' SYDYN. DEIO YN GRUDDFAN, A MWYTHO EI BENGLIN. DIM DOWT EI FOD WEDI BRIFO, AC MI FYDD YN HERCIAN WEDDILL Y DRAMA.

RHI: Deio, wyt ti'n....? (IAWN)

EM: Gad llonydd iddo fo. Dydw'i ddim am i neb adael am funud bach. Nid nes byddwn ni wedi setlo petha'....

DEIO: Dy setlo di ddylan ni 'neud, y cont brwnt!

EM: W! Iaith! O flaen y genod a phob dim...

DEIO: 'Wedi colli marblan, ta be'....!

RHI: Ty'd...*(GAN WNEUD OSGO I'W HELPU AR EI DRAED)*

EM: (YN GRYF A BYGYTHIOL) Gad llonydd iddo fo, Rhi!!

RHI YN UFUDDHAU. DEIO YN STRYFFAGLU I'W DRAED GORA MEDRITH O.

EM: Rŵan ta, lle'r oeddan ni? O, ia! Gei Ffôcs. Noson Tân Gwyllt.
Dyna lle'r oeddan ni...! *(SEIBIO)* **Pwy**.....oeddan ni? Deio....Edgar
....Alun....Defi...Harri....fi. O, a'r genod! *(SEIBIO)* A Gareth Ty
Isa' wrth rheswm.

DEIO, RHI A MAGS YN LLED-GYFNEWID EDRYCHIADAU.

EM: Rownd y tan; wedi diflasu; y seidar rhad wedi 'yfad i gyd.
Syniad pwy oedd o yn y lle cynta'? Hm? Dowch rwan, syniad
pwy...

MAGS: Nid Edgar! Dim cythral o beryg! *(SIMSANU)* Pa.....syniad?

EM: Harri Fawcett, wrach; wrach ma' dyna gyrrodd o tros y dibyn yn y
pen draw. Ta waeth! 'R oedd o'n goblyn o syniad da......
....ar y pryd.

MAGS: Pa syniad! Iesgob, Em, callia bendith nefoedd i ti!
Mi wyt ti'n codi ofn arna'i!

EM: Gyrru Gareth Bach i Goed yr Eryr, siwr iawn.
'Brysia, Gareth, ma' Miss Wilias yn deud fod 'na rywun pwysig
yn disgwyl amdanat ti'! (SEIBIO) 'Ddilyn o, yn griw.
Y syniad hwnnw, Mags. 'D oes bosib 'ych bod chi wedi anghofio
......*(AC A'N BUR EMOSIYNOL)*...achos ar f'enaid i, 'tydw **i**
ddim!! *(SEIBIO. DŴAD YN ÔL I HWYLIAU)* Na phoener, os
ydach chi! Dyna bwrpas hyn o lith: ail-ymweld ag atgofion bore
oes; proc bach i'r hen gydwybod ar yr un pryd. Proc, proc, proc:
dyna fu hanes Gareth dlawd, noson honno.

RHI: Tipyn o gadw reiat! Pawb yn 'i chael hi yn 'i dro...

EM: Mae 'na gael a chael.

MEL: *(WRTH RHI, MAGS A DEIO)* Ydych chi'n sefyll yma, yn
         gwrando ar y nonsense hyn?

RHI: Tydach chi ddim yn dallt. Deud dim fyswn i, taswn i yn y'ch lle
         chi.

MEL: Don't tell me what I understand and don't understand!

MAGS: 'Dw i'n cytuno efo Mel! Lol botas ydi peth fel hyn. Ac os na wnei
         di roi 'r gora iddi'r munud 'ma, Em, mi fydda' i'n achwyn wrth
         Edgar am dy giamocs di!

EM: Mi wyt ti'n un dda am gytuno efo pobol, on'd wyt? Achwyn,
         hefyd! Achwyn yn 'r ysgol, doeddat, bob dydd ryw ben neu'i
         gilydd.

MAGS: 'Di bwys gin i amdanat ti; dydi neb ond y chdi isio son am Gareth
         Tŷ Isa', felly waeth iti roi caead ar dy bisar ddim!

EM: Ond....mi oeddat ti o blaid y syniad, 'doeddat?

MAGS: Nagon i wir!

RHI: Oeddat mi oeddat ti. Ar dân.

MAGS: 'D o'n i ddim.....y gnawas glwyddog iti, Rhi!
         Dilyn pawb arall wnes i...

DEIO: Dyna ddaru ni gyd! Dyna....ddigwyddodd. 'D oedd o ddim yn syniad neb neilltuol, ac mi ddaru ni gyd gychwyn ar 'i ol o efo'n gilydd.

EM: Ond y fi dynnodd byrra'i docyn. *(SEIBIO)* Byrra'i docyn? Wyth gwelltyn, un yn fyr? Dewis y sawl fydda'n gyrru Gareth ar ei genadwri...? 'Brysia, Gareth, ma' Miss Wilias yn deud fod 'na rhywun pwysig yn disgwyl amdanat ti! *(A'N LLED-EMOSIYNOL WRTH GOFIO)* 'Dw i'n dal i weld y cradur bach yn sythu o 'mlaen! Yn ufuddhau i'r gorchmyn yn ddi-gwestiwn a diamod...(TRY AT RHI, MAGS A DEIO)* 'Fyddwch **chi** g'wilydd weithia'...?

DEIO: Nid fy syniad i oedd o!

RHI: Nid f'un i, reit siŵr!

MAGS: Na f'un inna', chwaith!

EM: *(CHWERTHIN YN YSGAFN)* Olreit ta! Be' am i ni smalio ma' syniad Harri Fawcett oedd o.
Hawdd, 'fynta ddim yma i wadu.

MAGS: 'Ti'n iawn! Syniad Harri oedd o! Cofio rŵan...

DEIO: Ia, 'fyd? Ia, mi 'dw inna'n cofio rŵan! Rêl Harri!

MAGS: 'Dw **i'n** 'i gofio fo'n taflu paraffin a matsian ar ben cath Gwen Morris, a'i llosgi hi'n fyw.

DEIO: 'R un peth, fwy neu lai! Syniad Harri Fawcett oedd o ar 'i ben!

EM YN CHWERTHIN ETO.

MEL: Fedrwn ni siarad am rywbeth arall nawr?

DEIO WEDI AGOR Y BOTEL WISGI. YMATAL, WRTH GOFIO BOD EM WEDI YFED OHONI. EM YN ESTYN HANCES BOCED, A'I CHYNNIG IDDO.

EM: Rhag ofn, de boi...?

DEIO'N RHOI Y CAEAD YN ÔL AR Y BOTEL. EM YN CHWERTHIN – A DIFRIFOLI.

EM: 'D oeddat ti ddim mor byticiwlar 'noson honno, Deio...
             'D oedd bwys pwy fu'n yfed o dy flaen di, mi oeddat ti'n cythru i'r
             botal seidar 'na pob cyfla gât ti! Awchu amdani.

EM YN YSBEIDIO YN BWRPASOL.

EM: I ffwrdd â fo ar garlam gwyllt, a'i wynt yn 'i ddwrn! A'r criw i'w
             ganlyn o, yn udo am waed! (Â'N SYNFYFYRIOL) Ar draws yr
             afon ar y cerrig rhyd; ar draws yr afon i Goed yr Eryr. 'I ddal o o'r
             diwedd ar Glwt yr Ellyllon!

MAGS: Paid! Dim rhagor! Rho gora iddi plîs!

MAGS YN LLYTHRENNOL YN CUDDIO EI CHLUSTIAU A'I DWYLO.

DEIO: *(RHESYMOL)* Ia, rho daw arni rŵan mêt, be' sy' harut ti?

RHI: Rho gora iddi, Em.

EM: A'r stori ar ei hanner...?

MAGS: Welis i ddim byd! Mi guddis i'n llygid!

RHI: Mi oeddat ti yn 'i chanol hi, paid â'u rhaffu nhw!
Yn hwrjio'r hogia' yn 'i blaena', yn gweiddi ar dop dy lais!
Stwffio mwsog a dalan poethion i geg y cradur..!

MAGS: Naddo! Naddo, wnes i ddim! *(EDRYCH O UN I'R LLALL)*
Naddo!!

RHI: 'Bisist yn dy flwmar, mi gynhyrfist gymaint!

MAGS YN YSGWYD EI PHEN YN BENDERFYNOL.

EM: Do, Mags...?

DEIO: Do, mi ddaru! Dyna'r math o beth fydda hi **yn** 'i 'neud!

MAGS: Peidiwch â gwrando arnyn nhw, Melanie! Don't listen to them!

MEL: You're all mad..!

DEIO: Peidio fyswn i, 'taswn i'n y'ch lle chi.

MAGS: *(DAER)* Nid fi oedd yr unig un! Nid jyst y fi!

EM: Pwynt teg! Pwynt teg! Dowch, be' am i bawb arall wynebu'i cyfrifoldeba'? Ydi hi ddim yn hen bryd?

RHI: 'S gin i ddim i fod g'wilydd ohono fo. Nid dilyn Gareth Bach oedd 'y mwriad i! Dy ddilyn di, siŵr iawn! Dy ddilyn di....yn y gobaith 'medrwn i dy demtio di i lain tawel 'rwla.

EM: A gosod llaw grynedig rhwng defnydd a chroen, Rhi...? O, na. Antur llawer difyrach oedd ar droed 'noson honno.

RHI: Yn amlwg – i chdi.

EM: *(DAER)* Pob un ohono' ni, Rhi! Paid â gwadu! Plîs, wnewch chi gyd roi'r gora i wadu! Mi wydda....pob un ohono' ni 'bydda 'na rhywbeth yn digwydd. On'd ydi'o y cyffro gora' sy' gael!? Ganwaith gwell na'r weithred 'i hun...! 'Yn tydi, Deio? 'Yn toedd!

DEIO: Gneud fel pawb arall wnes i! Fel daru......gweddill yr hogia'.

EM: A finna'! *(YMDRECH DDIDWYLL I EGLURO)* Dyna 'dw'i wedi bod yn drio ddeud. Gneud.....fel pawb arall. Chwara teg..! ...ydi'r oll 'dw i'n ofyn amdano fo. Dydi'm ots gin i dderbyn fy **siâr** o'r bai. Pawb yn **gyfartal** euog – be' amdani, hogs? Dydi'm ots gin i...!....redag a rasio i Marcus, weddill f'oes; dydi'm ots gin i wagio'i fag cachu o hyd yn oed..! Cyn belled â bod **pawb**....yn ysgwyddo'r baich.

DEIO: Wrach ma' fi sy'n ddwl, ond be' sy nelo hyn a Marcus?

EM: Bwch dihangol, Deio! Pwy a ŵyr lle byddwn i heddiw, oni bai am.... *(BRON A HIRAETH YN EI LAIS)* Gwerthu becyn o gefn Lan Drofyr, wrach. Pwy a ŵyr..

RHI: Mymryn o sbort oedd o! Callia, wnei di...

MAGS: Chwara oeddan ni! Yn de, Deio...?

DEIO: Dwyn 'i gap o! 'Daflu fo, o un i'r llall!

MAGS: 'Gareth wrth 'i fodd! Rhedag mewn cylch fel peth gwirion, yn chwerthin llond 'i fol!

RHI, MAGS A DEIO YN LLED-CHWERTHIN/GWENU WRTH GOFIO.
*MEL YN TRIO EI **FFÔN SYMUDOL** ETO. LLWYDDO I GAEL **SIGNAL**.*

MEL: Thank Christ!

*MEL YN DECHRAU **BYSEDDU RHIF**.*

EM: Pwy....baglodd o ta?

DEIO: *(HEB BETRUSO)* Edgar.

MAGS: Naddo, rioed! Dydi Edgar.....dim fel'na.

EM: Fel be'?

MAGS: 'Dw i'n fam i'w blant o, waeth iti heb!

EM: 'Nghariad bach diniwed i! Mags, mi 'dan ni **gyd** fel'na...

MAGS: Dydw i ddim, y sglyfath iti!

EM: *(ANGERDDOL)* Mae o **ynddo** ni gyd ta!

180

MAGS: Wel dydi'o ddim yn Edgar, waeth gin i amdanat ti!
A phrun bynnag, doeddan ni ddim hyd yn oed yn ca'lyn radag
honno!

EM: Nag oeddach debyg, ag Edgar rhwng dau feddwl; rhwng dwy stol
odro, fel petai.

MAGS: Nid Edgar faglodd Gareth Bach!

MEL: *(YMATEB I'R FFÔN SYMUDOL)*
Fuck!

EM: Pwy sodrodd droed ar 'i war o ta, i'w gadw fo lawr?

MEL: *(SIARAD I'R FFÔN SYMUDOL)*
Message for Mark Drake...

EM: Na....peidiwch.

MEL: *(I'R FFÔN)*
Mel here; could you ring me as soon as poss. please..

EM: Na! 'Di fiw 'ni adael a ninna'ar ganol chwara!

EM YN CYMERYD CAM PWRPASOL TUAG ATI.

MEL: Don't you fucking dare touch me!

EM: 'Di fiw!

EM YN CNOCIO'R FFON O'I DWYLO A THROI EI BRAICH TU OL I'W
CHEFN YN GIAIDD.

MEL: What are you doing, you maniac!

EM: Lawr! Cer lawr!

EM YN GWTHIO MEL I LAWR.

MAGS: Nefi, Em! Be' 'ti'n 'neud?

EM: Ar dy bedwar y basdad!

EM YN GWTHIO MEL I LAWR AR EI PHEDWAR, NES BOD EI PHEN YN
CYFFWRDD Y LLAWR.

RHI: Wyt ti'n dechra'drysu?

MEL: Aaaagh! You're hurting me!

DEIO: Rho gora iddi, y diawl gwirion!

EM: Nid nes deudith rhywun wrtha'i pwy sodrodd droed ar war Gareth
bach!

MAE'N SODRO TROED AR WDDF MEL.

EM: Fel'ma! Yn union fel'ma!

DEIO: Y fi! Y fi, neno'r Arglwydd! Be'di'r ots?
Harri oedd yn hwrjio, doedd gin i ddim dewis!

MAGS: 'D oedd dim rhaid i ti!

RHI: A Harri bron ddwywaith 'i seis o? Paid a siarad drw' dy het!

DEIO: Ddim llai nag ofn y diawl. Ofn, dyna oedd o!

EM YN TYNNU EI DROED ODDI AR WDDF MEL, OND YN DAL I'W CHADW I LAWR.

EM: Ond isio hefyd...? Isio, Deio. Awydd!

DEIO: Dim ffwc o beryg! *(SEIBIO)* Ddim mwy.....na phawb arall.

EM: Wyt ti'n cyfadda' fod pawb yn awyddus?
Pawb..'up for it', fel bydda nhw'n 'ddeud ffor'ma.

DEIO: Doeddwn i ddim...... **gwahanol** i bawb arall.
'Neith 'tro iti?

MEL: Will you let me go? You're hurting my fucking arm!

EM: 'Iaith'! 'Dim rhyfadd bod cefn gwlad yn mynd a'i ben iddo!

EM FEL PE BAI YN CAEL EI GYTHRUDDO O'R NEWYDD.

EM: Diffodd y gola 'na, Mags! *(MAGS YN PETRUSO)*
Diffodd y gola cyn i ti gael yr un peth!

MAGS YN BRYSIO I DDIFFOD Y GOLA. YN YSTOD Y CANLYNOL DIM OND GOLAU'R LLEUAD SYDD YN BRESENNOL.
EM YN MOWNTIO MEL, FEL AR GEFN CEFFYL.

EM: Gee ceffyl bach, yr ast!

PWL O CHWERTHIN HISTERAIDD YN DOD DROS MAGS. DEIO'N LLYFU EI WEFLAU YN REDDFOL; AGOR Y BOTEL WISGI AC HEB FEDDWL DDWYWAITH YFED OHONI.

MAGS: I helynt ei di, Em!

DEIO: I helynt â'n ni gyd!

EM: Nid os lynwn ni efo'n gilydd! 'Hen drefn. Tali-ho!

DEIO: *(PWL O CHWERTHIN)*
           Penbwl! Gad llonydd iddi...

MAGS: *(PWL O CHWERTHIN GWIRION)*
           It's O.K. Mel, he's only having a joke...!

RHI: Jôc! Ydach chi **gyd** yn dechra' drysu...?

EM: *('MARCHOGAETH' FFWL SBID)*
           Jôc oedd hi, i gychwyn! Yaaaahw!!

DEIO: Ty'd â 'go' i mi!

DEIO'N GWTHIO EM I FFWRDD A CHYMERYD EI LE – ETO FEL AR GEFN CEFFYL.

EM: Ride him, cowboy...!!

MAGS: Gee ceffyl bach....!! Gee ceffyl bach, Rhi!

*WYNEB MEL YN CAEL EI DYNNU BOB FFORDD WRTH IDDI
DDIODDEF YR YMOSODIAD.
EM YN MYND AR EI BENGLINIAU TU ÔL I MEL – H.Y. REIT YN
SOWND YN EI THIN.*

MAGS: Iesgob! Be'wt ti'n 'neud rŵan, Em..!

EM: *(CANU)* 'Do you think I would leave you dying...!'

DEIO/EM: 'When there's room on my horse for two....!
               Di ri di di....!'

*EM A DEIO YN CARIO YN EU BLAENAU I 'DDI –DIO' Y GAN.
MAGS YN MYND YN FWY HISTERAIDD WRTH YR EILIAD.
RHI YN BAGIO NOL FYMRYN, OND NID O DDIFFYG DIDDORDEB YN
Y GWEITHGAREDDAU. YN HYTRACH, DYMUNA FOD YN DYST
GWRTHRYCHOL.*

*EM YN DECHRAU SYMUD YN RHYTHMIG I DON Y GAN, AC WRTH
WNEUD EFELYCHU Y WEITHRED RHYWIOL O'R TU ÔL. O DIPYN I
BETH, DEIO'N 'DAL' YR UN RHYTHM, GAN GYD-SYMUD GYDA EM.
EM YN LAPIO EI FRAICH O AMGYLCH CANOL DEIO, A'I DYNNU ATO
YN GLOS.*

DEIO: Ride him..!!

*Y SYMUDIAD YN CYNYDDU. MEL, YN LLYTHRENNOL, DAN BWYSAU
MAWR. MAE'N DIODDEF, YN DDAGREUOL BOENUS.*

*MAGS, GAN WICHIAN CHWERTHIN YN ROWLIO PAPUR (O'R
FFEILIAU SYDD GANDDI) YN BELI A'U PLEDU NHW AT MEL.*

RHI, AR GYRION Y CHWARAE, MEWN RÔL SBECIWR (VOYEUR). OND NI ALL AROS YN WRTHRYCHOL I'R PEN CHWAITH: EGYR DDAU FOTWM TOP EI BLOWS, A LLITHRO LLAW RHWNG DEFNYDD A CHROEN.

MAGS YN MAGU MWY O HYDER, GAN STWFFIO UN O'R PELI PAPUR I GEG MEL. HONNO'N MYND I BANIG A THAGU. HYN YN DOD A DEIO AT EI GOED.
MAE'N GWTHIO EM I FFWRDD YN FFYRNIG A CHODI AR EI DRAED. EM YN DISGYN YN ÔL AR EI GEFN GAN CHWERTHIN BRAIDD YN ORFFWYLL.

MEL YN CYRLIO I FYNY YN UN RHOLYN DAGREUOL.

DEIO'N MWYTHO EI BENGLIN, WRTH I'R BOEN DDYCHWELYD.

MAGS YN OFNI IDDI WLYCHU EI HUN, AC YN TYNNU WYNEB DIFLAS.

RHI: *(DAN EI GWYNT)* Huran.

OND O BOSIB YN FFIEIDDIO WRTHI HI EI HUN.

EM YN TAWELU A CHODI AR EI DRAED.

EM: Iawn, genod?

RHI, MAGS A DEIO YN FUD.

EM: 'Di pawb yn iawn? Pawb yn...........fodlon?

186

MAGS: Be' tasa....! *(EDRYCH O UN I'R LLALL)* Ol, be' tasa...!
.....hon yn achwyn? Be' tasa......Mark Drake yn dŵad i wybod?

DEIO, YN ARBENNIG, YN MEDDWL O DDIFRI YNGLYN A HYN.

MAGS: Y fo sydd hefo'i, dyddia' yma!

DEIO: Diawl peryg; beryg bywyd efo cyllall, medda nhw!

MAGS: Mi roth goblyn o gweir i ddringwr yng nghefn y Prins unwaith!
Stiwdant efo sbectol, gododd 'i beint o mewn camgymeriad.
'Gafodd gweir 'run fath yn union, sbectol neu beidio!

EM: Wynebu canlyniada' dy weithredoedd ma' nhw'n 'i alw fo, Mags.

DEIO: 'Chdi ddechreuodd!

MAGS: Ia, 'chdi ddechreuodd! Dyna ddeuda'i os bydd rhywun yn holi!

EM: Nid.....hefo'n gilydd ta?

MAGS: *(WRTH DEIO)* Fo ddaru!

DEIO: *(WRTH RHI)* Fo ddaru!

EM: *(YN OBEITHIOL)* Rhi...?

*RHI YN SYMUD YN ARAF A PHWRPASOL A RHOI'R GOLAU YN OL
YMLAEN.*
HYN YN AILGYFLWYNO REALAETH I'R GWEITHGAREDDAU.

RHI: Mi oeddat ti ar fai yn dwad yn dy ol.

EM YN NODIO YN ARAF. CYSIDRO MEL. DAW TON O EDIFEIRWCH A THOSTURI DROSTO.

EM: Go damia.

PENLINIO, A RHOI BREICHIAU CYSURLAWN AMDANI.

DEIO: Be'wt ti'n 'i 'neud rŵan eto! *(WRTH Y GENOD)*
Be' ddiawl mae o'n 'neud? Gad llonydd iddi!

MAGS: Ty'd o'rwthi, Em!

DEIO: Cyn i neb dy weld ti!

EM YN YSGWYD EI BEN YN BENDERFYNOL, A DAL MEL YN DYNNACH

MAGS: Ol, gad llonydd iddi! Be'di matar arno fo....!

DEIO: Mi dynnith Mark Drake groen dy gefn di ffwr' os ceith o afael a'n't ti!

EM: Os.....ceith o afael arna'i.

DEIO: Mae o'n saff Dduw o 'neud os na roi di'r gora i dy giamocs!

EM YN DAL MEL YN DYNNACH FYTH.

RHI: Isio.....cael dy ddal, dyna sy'?

EM: Ddalith neb mo'na **i**, Rhi.
'Dw'i wedi nofio'r afon 'na **cyn** heddiw...

YN ARAF BWRPASOL, MEL YN GWTHIO EM I FFWRDD – H.Y GWRTHOD EI GYSUR.

MAGS: 'D ei di ddim ar gyfyl yr afon heno, y ffŵl gwirion!

EM: Na wnaf chwaith? Pam lai!
Faint o fet cyrhaeddai'r ochr draw yn fyw?
Wyt ti'n cofio fel byddat ti'n brolio pan oddan ni'n blant 'stalwm, Deio...!...yn gylch nofio'r pwll di-waelod wrth droed craig y chwaral?
Deifio'i mewn, tros dy ben; nofio'r holl ffordd ar draws ac yn ôl!

DEIO: Plant **oddan** ni.

EM: Dyna ydan ni dragwyddol. Chwara plant, dyna 'di'n bywyda' ni.
Gêm. A be' sy'n f'aros i, ond y gêm ola'? Crachan grintachlyd, anniolchgar – a bag cachu llawn.
No siree!! Ma'r afon i' gweld yn antur llawar difyrrach heno!

EM YN CYSIDRO DEIO, MAGS A RHI.

EM: Pwy ddaw efo fi? Deio? Neu beidio 'di gwerthu bêcyn o gefn Landrofyr yn rhy gynhyrfus gin ti?

ERYS DEIO YN LLONYDD.

EM: Mags ta! Na, go brin. Ma' gwarchod yr 'etifeddiaeth'...

*SEIBIA I EDRYCH YN BWRPASOL AR **MEL**.*

EM: ......yn fyrdd pwysicach ddyliwn.

Be' am Rhi? Ty'd! Mi oddat ti'n gythral am antur pan oedd y byd yn ddiarth!

ERYS RHI YN LLONYDD.

EM: O, wel! Os ydy' Rhi'n gwrthod, mai wedi darfod go iawn.

MAE'N SYMUD YN BWRPASOL AT Y DRWS. TROI YN EI OL.

EM: Cymrwch **chi'r** bai tro'ma ta.

EM YN EI CHYCHWYN HI.

DEIO: Paid a....!

EM YN SEIBIO.

DEIO: Mynd. *(LLED-WENU'N HOFFUS)* Paid a 'ngadael i eto.

EM YN LLED-WENU'N HOFFUS. DEIL YR EDRYCHIAD YMA RHWNG Y DDAU HEN GYFAILL AM ENNYD GO HIR. YNA, TRY EM AR EI SAWDL YN DDI-SEREMONI A GADAEL.

DEIO A MAGS YN CYFNEWID EDRYCHIAD. RHI YN WEDDOL NIWTRAL. TON O EDIFEIRWCH YN DOD DROS DEIO A MAGS YR UN PRYD.

MAGS: O, God! I'm sorry. I'm so sorry, Mel..!

DEIO: Yes, I'm sorry too!

Y DDAU YN BRYSIO I'W CHYNORTHWYO. PENLINIO O BOBTU IDDI.

EM: Don't....! *(TOUCH ME)*

MEL YN CODI A SYMUD I FFWRDD. DEIO A MAGS YN AROS AR EU GLINIAU. GOLWG BUR HYDERUS AR MEL RWAN.

MAGS: Look.....Melanie...it was only a bit of fun.

DEIO: That's right. Let's just.......forget everything.

MAGS: 'Dw i'n fodlon! I'm willing.

DEIO: A fi! And me. Back to the way we were.

MEL YN LLED-WENU'N ORCHFYGOL.

MAGS: Iawn, Rhi?

DEIO: Ty'd yn d'laen, Rhi. Mi fydd 'rhaid 'ti yn diwadd.

RHI YN CYSIDRO. SYMUD I EISTEDD AR GADAIR ISEL, HEN GADAIR YSGOL (PLENTYN). NODIO YN GYNNIL IAWN, IAWN. Y DDELWEDD OLAF: MEL AR EI THRAED, YN EDRYCH I LAWR AR DEIO, MAGS A RHI. MAENT YN BLANT UNWAITH ETO.

DIWEDD.